CW00858631

Lena Halbarth-Engl

Ich war wie deine Puppe

Nachruf auf eine Mutter

Bibliografische Information der Deutschen Nationalbibliothek:
Die Deutsche Nationalbibliothek verzeichnet diese Publikation
in der Deutschen Nationalbibliografie; detaillierte bibliografische Daten sind im Internet über http://dnb.dnb.de abrufbar.

Herstellung und Verlag: BoD – Books on Demand, Norder-
stedt

ISBN: 978-3-7386-1155-7

Inhalt

Vorwort 7

1. Wie es begann...9

2. Mutters ganzer Stolz...14

3. Ein Unglück...21

4. Kriegsjahre 34

5. Junge Familie..39

6. Ende einer Kindheit..46

7. Es muss weiter gehen 53

8. Das erste Bad..60

9. Der seidene Faden zwischen Vater und Kind.....69

10. Es kann nicht sein..80

11. Eine Zuflucht...86

12. Die Zeichenmappe...94

13. Erste Liebe..99

14. Die Reise 103

15. Ein Sieg 109

16. Familienleben 116

17. Die Heilung 122

18. Wie es endet 138

Vorwort

Es gibt vermutlich kaum eine Kultur, in welcher die Mutterliebe nicht als eine gute starke Kraft, selbstlos und aufopferungsbereit, oftmals sogar als höchster Ausdruck menschlicher Liebe gewürdigt wird. Wem eine solche Liebe tatsächlich geschenkt wurde und für wen sie unerfüllte Sehnsucht bleibt, dies unterscheidet aus meiner Sicht Menschen grundlegend voneinander. Denn wie die Erfahrung zeigt, ist das mütterliche Liebesgefühl, wie andere Gefühle und Liebesformen auch, durchaus von menschlichen Unzulänglichkeiten, Zumutungen, Irrtümern und schuldhaftem Verhalten durchmischt. Dies kann eine schwere Belastung bis hin zu einem Trauma für das Kind sein, wenn es die Mutter als innerlich abwesend erlebt, wenn die Mutter für ihr Kind nicht wirklich ansprechbar, „da" ist - aus welchen Gründen auch immer.

So schlimm die Wirkung einer solchen „abwesenden" Mutterliebe für das Kind im einen Fall mehr im anderen weniger, je nach Ausmaß und den Lebensumständen, auch sein mag, so stellt sich für das Kind darüber hinaus die Frage, wie es seine Mutter lieben kann, wenn diese gefühlsmäßig nicht erreichbar ist. Die Kindesliebe sucht sich dann ein Ersatzverhalten als Liebesäußerung: Das oft lebenslange Bemühen, für die Mutter eine Last zu tragen, oder sich von frühester Kindheit an um sie zu kümmern, als sei sie Kind und nicht Mutter oder durch Wohlverhalten der Mutter eine Freude zu bereiten, sind nur einige Beispiele für den Erfindungsreichtum kindlicher Liebe, um auf sich aufmerksam zu machen und angenommen zu werden.

Solches Verhalten kann sich im Erwachsenenalter zu einem Lebensmuster, zu einem unbewusst ablaufenden Programm festigen, welches sich auf andere Beziehungen überträgt und authentisches Lieben behindert.

Die folgende Geschichte möchte am Beispiel eines Einzelschicksals veranschaulichen, welche Folgen die Liebe einer gefühlsmäßig abwesenden Mutter auf ihr Kind und auf das Leben ihres Kindes haben kann und wie sich die unheilvolle Verstrickung zwischen einer solchen Mutter und ihrem Kind löst.

1. Wie es begann

Wenn ich die Augen schließe, sehe ich dich, Mama, oberhalb meines Blickfeldes reglos in einem Eisblock eingefroren, mit dem Rücken zu mir, dem Himmel zugewandt. Immer wieder habe ich seit deinem Tod vor 28 Jahren darauf gewartet, dass du dich mir mit offenem Herzen zuwendest, damit ich dir sagen kann, was ich dir sagen möchte, aber jedes Mal, wenn du zu mir sahst, empfand ich deinen Blick wie eine Schablone, in die ich hinein passen musste, und ich verstummte.

Endlich habe ich verstanden, dass du mich gar nicht anschauen musst, um mich hören zu können!

Und so rufe ich dir meine Botschaft auf deinen Rücken nach, werfe meine Schallwellen an deinen Eisblock hin mit der Kraft einer großen Wut und dem Wunsch, dass diese Wut dich weiter weg stößt von mir.

Was du suchst, Mama, habe ich nicht. Ich habe es nie besessen, auch wenn mein Leben von dem Bestreben angetrieben war, das Gesuchte für dich zu finden, um es dir geben zu können. Die Erfüllung dieses Wunsches war mein größtes Ziel, es war der Ausdruck meiner mühevollen Liebe zu dir, denn ich fühlte mich verantwortlich für dein Glück.

Jetzt fordere ich dich auf, Mama, meine Geschichte zu hören!

Eines Tages im Jahre 1954, die Sonne schien von einem freundlichen Märzhimmel zum Fenster herein, erblickte ein Mädchen morgens um 15 Minuten nach 10 Uhr das Licht der Welt. Es befand sich im Krankenhaus eines kleinen Ortes am Möhnesee im Sauerland in Westfalen. Nach Art der Neugeborenen begrüßte es die Welt mit kräftigem Geschrei und wurde von der Hebamme mit den Worten empfangen, es werde einmal groß werden, da es lange Beine habe. Dann wurde es von der Nabelschnur getrennt, gewaschen und schließlich der Mutter ins Bett gegeben, in deren Armen es erschöpft einschlief.

Die Mutter fühlte sich trotz des kleinen Wesens, dem sie eben das Leben geschenkt hatte, allein. Sie konnte sich nicht so recht freuen und war bekümmert darüber. Schließlich gehört es zu einer Mutter dazu, dass sie sich über ihr Neugeborenes freut!

Ihre Gefühle waren jedoch gemischt. Die Wehen und das Gebären unter großen Schmerzen hatte sie wie eine Bedrohung ihres eigenen Lebens empfunden, der sie wehrlos ausgeliefert gewesen war.

Außerdem war sie voller Sorge über die Zukunft ihres Kindes. Wenn sie an ihre eigene unbeschwerte Kindheit dachte, würde sie der Kleinen nur ein armseliges Leben bieten können. Sie seufzte.

Prüfend schaute Margit auf das kleine rote faltige Gesichtchen in ihrem linken Arm und war erleichtert darüber, keine augenfällige Ähnlichkeit zum Vater ihrer Tochter zu erkennen. Inständig hoffte sie, dass dies ein Leben lang so bleiben würde. Ihre Entscheidung war in dem Moment gefallen, als sie sich ihrer Schwangerschaft endlich sicher gewesen war: niemals würde jemand, nicht ihr Ehemann Michael, nicht der Vater des Kindes Paul und schon gar nicht das Kind selber erfahren, dass Paul und nicht Michael sein Vater war.

Du hast mich, Mama, um meinen Vater betrogen! Ich fasse es nicht!

Warum hast du mir nicht die Wahrheit gesagt, die Wahrheit über meine Herkunft? Spätestens, als du deinen Tod nahen fühltest, während ich dich umsorgte und an deinem Bett saß!

Von früher Kindheit an fühlte ich etwas zwischen uns stehen, und es verstörte mich. Jetzt weiß ich, dass es dein Tabu, meine wahre Herkunft, war!

Ich aber dachte in Unkenntnis der Wahrheit, so müsste es sein zwischen zwei Menschen, die wie du und ich in Liebe verbunden sind: dass immer etwas zwischen ihnen steht.

Kannst du dir vorstellen, Mama, was es bedeutet, in einer falschen Identität zu leben? Das Gefühl zu haben, dass irgendetwas nicht stimmt?

Nein, du kannst es vermutlich nicht.

Du hast mich zum Narren gehalten!

Wie es der Zufall wollte, fiel auf jenen Tag der Rosenmontag, welcher mit einem kleinen Karnevalszug durch die anliegenden Dörfer gefeiert wurde. Und so war der Karnevalsprinz auf seinem närrischen Gang durch die Entbindungsstation der erste Besucher, der Margit zu ihrer kleinen Tochter beglückwünschte und die neue Erdenbürgerin willkommen hieß.

Margits Mann Michael reiste an diesem besonderen Tag auf Arbeitssuche im Land umher. Da Margit ihr Kind erst Mitte März erwartet hatte, wollte er bis dahin zurück sein. Ein Flüchtling aus der „Ostzone", einer von 12 Millionen, die nach dem Krieg aus Mittel- und Osteuropa nach Westdeutschland gekommen waren, hatte er noch keine feste Anstellung finden können. Dabei sah er sich, ein gebürtiger Kölner, durchaus nicht als Flüchtling an, sondern eher als ein in die Heimat Zurückgekehrter. Dank der Unterstützung seiner Verwandten sowie seiner Gelegenheitsbeschäftigungen und Margits Verdienst als Sekretärin in einem Botschaftsbüro in Bonn hatten die beiden ein knappes Auskommen.

Doch nun würde alles anders werden: mit einem Kind würde Margit nicht mehr arbeiten können! Denn es gab niemanden, der ihr die Sorge um ihr Kind hätte abnehmen oder sie darin unterstützen können. Warum nur hatte ihre Tochter ausgerechnet jetzt kommen müssen, das fragte sich Margit selbst in dieser Stunde, während sie, hin und her gerissen zwischen Selbstzweifeln und Freude, Angst und Dankbarkeit das kleine Wesen betrachtete.

Die Hebamme hatte ihr das Kind inzwischen an die Brust

gelegt, wo es zu saugen begann, doch der Milchfluss ließ noch auf sich warten. Da spürte Margit plötzlich ein zartes Liebesgefühl zu dem kleinen hilflosen Wesen in ihren Armen. Sie merkte, wie ihre Liebe zu fließen begann, ganz langsam und verhalten, ohne dass sie etwas dafür oder dagegen tun konnte.

Gleichzeitig mit Margits Liebe zu ihrem Kind brach auch ihre Sehnsucht nach ihrer eigenen Mutter durch. Wie gerne hätte Margit ihrer Mutter die kleine Tochter gezeigt! Wie sehr brauchte sie gerade jetzt, da sie selber Mutter geworden war, ihre Mutter! Warum hatte die Mutter so früh gehen müssen, als sie, Margit, gerade vierzehn Jahre alt gewesen war!

Es war schlimm für mich, Mama, wenn du mir von deiner Mutter und deiner glücklichen Kindheit erzähltest. Es klang wehmütig und schwer. Ich kam mir dann so vor, als hörte ich ein anderes Kind vom Paradies reden, und ich spürte deinen tiefen Schmerz darüber, aus diesem Paradies gewaltsam vertrieben worden zu sein. Dieser Schmerz, Mama, war für mich unerträglich. Ich empfand ihn so stark, als sei mir selber widerfahren, was du erlebt hattest, und ich schwor, mein Leben lang alles zu tun und nur das zu tun, was dich erfreuen würde, selbst, wenn es meine Kräfte übersteigen sollte.

Ich glaubte, je größer meine Anstrengung, umso größer meine Liebe.

Erreichen dich meine Worte?

2. Mutters ganzer Stolz

Margit und ihr Mann Michael hatten sich 1946 auf einer Geburtstagsfeier in Magdeburg kennen gelernt, wo Michael sich als Gründungsmitglied einer politischen Partei engagierte. Er war achtundvierzig Jahre alt und seit zehn Jahren mit seiner zweiten Frau Fanny verheiratet. Aus seiner ersten geschiedenen Ehe stammte eine zwanzigjährige Tochter. 1947 wurde er von der sowjetischen Besatzungsmacht zum Minister für Landwirtschaft und Forsten von Sachsen-Anhalt ernannt.

Margit, die 1943 von Berlin in die Nähe von Magdeburg evakuiert worden war, begann ein Verhältnis mit Michael. Als dieser 1949 seines Amtes enthoben wurde und mit seiner Frau nach Westfalen floh, verließ auch Margit ein Dreivierteljahr später Sachsen-Anhalt und fand eine Anstellung in Bonn.

Unter dem Vorwand, in Bonn, der vorüber gehenden Hauptstadt Westdeutschlands, wegen eines politischen Amtes vorzusprechen, traf sich Michael weiterhin mit Margit. Im Frühling 1952 starb Fanny an Darmkrebs, während ihr Mann mit Margit zusammen war.

Ich glaube, Mama, dass ich dich nur ein einziges Mal gefragt habe, wie du und dein Mann euch kennen gelernt habt. Da war ich neun Jahre alt. In der Wirtschaftsgruppe in Berlin, während des Kriegs, war deine Antwort. Ich konnte mir nicht vorstellen, was eine Wirtschaftsgruppe war, obwohl du es mir

erklärtest. Vielleicht, weil ich das Wort: „Wirtschaft" im Zu-
sammenhang mit deinem Mann mit Gaststätte assoziierte.

Dann, so fuhrst du fort, seid ihr euch nach vielen Jahren zu-
fällig in Bonn auf der Straße wieder über den Weg gelaufen.

Ich fand dies äußerst seltsam, und wie sehr ich mich auch
darum bemühte, mir eure Begegnung vorzustellen, kam ich mir
wie in einer Sackgasse vor. Und ich habe nicht weiter gefragt,
auch nicht nach dem Wann und Wie eurer Hochzeit. Denn ich
spürte, dass etwas nicht stimmte. Nicht im Geringsten, Mama,
dachte ich, dass du mich belügen würdest, eher gab ich mir die
Schuld, nach etwas gefragt zu haben, das mich vielleicht nichts
anging und welches ich zu verstehen wohl noch zu klein war.

Ein Jahr später beschlossen Michael und Margit, sich im Sep-
tember trauen zu lassen. Deshalb machte Margit sich Anfang
Juni auf den Weg nach Berlin, wo ihr Vater lebte. Sie wollte
ihn, mit dem sie ein zwiespältiges Verhältnis verband, von
ihrer bevorstehenden Hochzeit mit Michael unterrichten. In
einem Brief an Margit - scherzhaft formuliert, doch nicht ohne
einen intuitiven Ernst - hatte Michael seiner Verlobten zuvor
„ein letztes Mal" die „Freiheit, alleine zu verreisen" gewährt.

Es war der 17. Juni 1953, der Tag des Arbeiteraufstands in
Berlin, als Margit nach einem Umweg über Magdeburg dort
eintraf und mitten in die Unruhen geriet, die von Panzern der
Roten Armee und bewaffneten Soldaten niedergeschlagen
wurden.

Zuvor hatte sie in Magdeburg Paul heimlich besucht und war von ihm schwanger geworden.

Als ihre Periode im Juli ausblieb, dachte Margit sich zunächst nichts dabei, sondern vermutete eine Unregelmäßigkeit aufgrund ihrer Sorgen um Michaels Arbeitslosigkeit und die Aufregungen anlässlich der bevorstehenden Hochzeit. Doch nach sechs Wochen bekam sie es mit der Angst zu tun. Fieberhaft rechnete sie die Tage hin und her, zählte eins und eins zusammen - Michael kam als Vater nicht in Frage, aber Paul? Nein, es konnte, es durfte nicht sein! Paul war bereits neunundsiebzig Jahre alt! Eine Woche lang glaubte Margit, den Verstand zu verlieren, bis ihr zur Gewissheit wurde, dass sie schwanger war. Aber ein Kind zu diesem Zeitpunkt war ganz und gar unmöglich, es würde ihre Zukunft mit Michael zerstören!

Schon einmal war sie von Paul schwanger gewesen, damals, 1947, da kannte sie bereits Michael. Sie ließ das Kind, einen Jungen, abtreiben, ohne Paul, geschweige denn Michael, je davon erzählt zu haben. Nur ihre beste Freundin, bei der sie in Berlin vor dem Eingriff übernachtet hatte, wusste davon. Seitdem war allerdings kein Tag vergangen, an dem sie nicht an ihren kleinen Sohn dachte.

Margit unternahm auch jetzt wieder einen Abtreibungsversuch, der sich durch die ausgelöste Blutung als offensichtlich erfolgreich erwies. Nicht im Geringsten ahnte sie, dass sie zwar ein Kind verloren hatte, die Zwillingsschwester eines Mädchens, mit welchem sie weiterhin schwanger war. Als im Oktober die Regelblutung immer noch ausblieb, suchte sie beunruhigt den Arzt auf. Dieser konnte eine Schwangerschaft nicht mit Sicherheit ausschließen aber auch nicht verlässlich erkennen. Der Nachweis nur aus dem Urin war nicht zwingend. Auch war der Tastbefund von Bauch und Gebärmutter nicht eindeutig, so dass Margit, im vierten Monat schwanger, über ihre Schwangerschaft keine Sicherheit besaß.

Der Gedanke, ein Kind unter ihrem Herzen zu tragen, versetzte sie immer noch in Angst und Schrecken, umso mehr, als dieses Kind ihren Abtreibungsversuch dann offenbar überlebt haben musste! Sie sah sich außerstande, der Herausforderung, die ein Kind bedeuten würde, gewachsen zu sein.

Im November endlich diagnostizierte ihr Arzt, irrtümlicherweise, wie sich bald heraus stellen sollte, dass Margit an einer hormonellen Störung litt. Erleichtert schrieb die Frau ihrer Freundin, dass sie nicht schwanger sei, um im Januar, als sie sichtbar an Bauchumfang zugenommen hatte und an ihrer Schwangerschaft kein Zweifel mehr bestand, in einem weiteren Brief unter Schock der Freundin die Wahrheit mitzuteilen.

Deine Freundin, Mama, hat mir nach deinem Tod von deiner ersten Abtreibung erzählt. Ich hätte es nicht geglaubt, wenn sich mir nicht durch diese Wahrheit viele Gefühle, unter denen ich damals litt, erschlossen hätten: mein Gefühl, für zwei leben zu müssen, mein Minderwertigkeitsgefühl, weniger wert als ein

Junge zu sein, mein Gefühl, mir mein Leben verdienen zu müssen, meine Sehnsucht nach einem Bruder, mit dem ich in meiner Phantasie laute Selbstgespräche führte.

Oft ruhten deine Blicke nachdenklich und fragend auf mir, und ich hatte das Gefühl, sie galten eigentlich jemand anderem.

Erst als ich von der Abreibung deines ersten Kindes erfuhr, wusste ich plötzlich im Nachhinein diese Blicke zu deuten: du hast mich angeschaut und dich dabei gefragt, ob dein getötetes Kind mir wohl ähnelte, hast es dir an meiner Statt vorgestellt.

Habe ich mich deshalb in deinem Bauch so sehr versteckt gehalten, weil ich mein Leben bedroht fühlte? Nahm ich in deinem Leib Informationen aus dem Schicksal meines vor mir abgetriebenen Bruders wahr, befand mich im Schockzustand wegen meiner abgegangenen Zwillingsschwester?

Es war für Margit schwer genug, sich mit ihrer Schwangerschaft anzufreunden, hingegen auch noch zu bekennen, dass dieses Kind von Paul war, schien ihr ganz und gar unmöglich. Michael würde sie verlassen, und sie würde mit dem Kind allein und mittellos dastehen! Zu Paul zu gehen, dem Witwer, der in der DDR bei der Familie seines Sohnes lebte, war ausgeschlossen. Obwohl - Paul würde sich zu ihr und dem Kind bekennen, da war sie sicher, aber sie glaubte nicht, dass er sie heiraten oder mit ihr zusammen leben würde. Dafür fehlte das Geld.

Um die Wahrheit zu tarnen, würde Margit weiterhin ihre Behauptung aufrecht erhalten, das Kind sei zu früh geboren, so dass Zweifel an Michaels Vaterschaft nicht entstehen konnten. Niemand konnte das Gegenteil beweisen. So legte sie es sich zurecht.

Die Botschaft, die du mir dadurch vermitteltest, Mama, lautete: du bist nicht in Ordnung so, wie du bist, du bist nicht gut genug, darum muss eine Grund legende Veränderung an deinem Leben vorgenommen werden: du brauchst einen anderen Vater!

Mama! Weißt du denn nicht, dass ein Kind im Mutterleib die Gefühle seiner Mutter spürt, ihre Freude und ihr Glück ebenso wie ihre Sorgen und Ängste? Hast du tatsächlich nie versucht, dich in den kleinen Embryo, den du in dir trugst, hinein zu versetzen? In jeder einzelnen Körperzelle eines im Mutterleib heranwachsenden Kindes wird die mütterliche Gefühlsinformation gespeichert!

Erst am dritten Tag nach Helgas Geburt begann unter den geduldigen Anleitungen der Hebamme Margits Milch für ihr Kind zu fließen. Die Stillzeiten waren besondere Momente. Denn da die Neugeborenen im Säuglingszimmer von ihren Müttern getrennt schliefen, war die Zeit der körperlichen Nähe zwischen Mutter und Kind beim Stillen knapp bemessen.

Während der Lebenssaft von Mutter zu Kind strömte, stellte

sich endlich ein friedliches Gefühl von Einheit zwischen den beiden ein, und auch Margit, ihrer Tochter Geborgenheit spendend, fühlte sich bei ihrem Kind geborgen, während sie sanft und behutsam das dunkel behaarte Köpfchen streichelte.

Mehr und mehr während ihrer Tage auf der Wöchnerinnenstation wurde Margit mit ihrer kleinen Tochter vertraut. Wer weiß, so ging es ihr durch den Kopf, vielleicht konnte dieses Kind in dem großen Durcheinander ihres Lebens für sie ein Halt sein, vielleicht einen Wendepunkt markieren?

Und mit dem Gefühl, etwas Eigenes, etwas ganz und gar ihr Gehöriges in den Armen zu halten, begann Margit, sich mit ihrem Schicksal und dem ungeplanten Kind auszusöhnen. Sie schmiedete sogar bereits Pläne für ihr Kind und schwor sich, auch wenn es das einzige sein sollte, dem in ihrem Leben Erfolg beschieden sein würde: dieses Kind würde gelingen!

Ja, Mama, ich bin gelungen! Ich wurde dein ganzer Stolz!

3. Ein Unglück

Nun, Mama, will ich aus meinem Blickwinkel von dir und deinen Eltern erzählen, von deiner Mutter Elisabeth und von deinem Vater Wilhelm und von deiner Kindheit.

Im Jahr 1900 wurde Elisabeth als erstes Kind des Stabsarztes Martin Krüger und seiner Frau Charlotte in Berlin geboren. Martin entstammte einer Kaufmannsfamilie und hatte in Berlin und Prag Medizin studiert. Charlottes väterliche Vorfahren waren ebenfalls Kaufleute, mütterlicherseits stammte Charlotte aus einer großbürgerlichen Familie von Gelehrten und Juristen.

Vier Jahre nach der Geburt von Elisabeth erblickte das zweite Kind von Martin und Charlotte, Marianne, Elisabeths Schwester, das Licht der Welt. Bald danach wurde Martin ins Elsass versetzt, wo die Familie bis kurz vor dem Ausbruch des ersten Weltkriegs lebte.

In den beiden ersten Kriegsjahren war Martin als Stabsarzt im Einsatz. Seine Familie wohnte währenddessen bei den Eltern seiner Frau in Berlin. Als Martin 1916 von der Front abgezogen wurde, um in Berlin Dienst zu tun, herrschte in Deutschland eine große Hungersnot, der eine halbe Million Menschen zum Opfer fielen.

Inzwischen war seine älteste Tochter Elisabeth zwanzig Jahre alt. Viele gleichaltrige Freunde waren als Soldaten eingezogen worden, einige waren bereits gefallen oder als Kriegsversehrte zurück gekehrt.

Martin gehörte der Freimaurerloge an und handelte mit einem wohlhabenden Logenbruder die Hochzeit zwischen dessen Sohn Wilhelm und seiner vier Jahre jüngeren Tochter Elisabeth aus.

Wilhelm hatte vor dem Krieg Internate in England und in der Schweiz besucht und in einem Berliner Unternehmen eine kaufmännische Ausbildung erhalten.

Elisabeth erlernte den Beruf der Lehrerin.

Mit Wilhelm als Ehemann heiratete Elisabeth in eine Unternehmerfamilie hinein. Der Großvater ihres Mannes hatte einst eine bedeutende Weberei besessen. Bevor er in Ruhestand ging, verkaufte er sie und erwarb mit dem Erlös zwei kleinere Fabriken, die nach seinem Tod seine beiden Söhne erbten. Sein jüngerer Sohn Friedrich, späterer Vater von Wilhelm, der als Geheimrat unter Bismarck an der Gründung des Deutschen Reiches mitgewirkt hatte, erhielt die Zigarrenfabrik. Aufgrund geringerer Lohnkosten in Thüringen befand sich die Fabrik der Berliner Familie in einer Kleinstadt im thüringischen Eichsfeld, daneben das Wohnhaus, ein stattliches Anwesen mit sechzehn Zimmern, von einem parkähnlichen Garten umgeben.

Ihren Beruf als Lehrerin übte Elisabeth nicht aus, stattdessen übernahm sie bald nach der Hochzeit die Buchhaltungsführung des Unternehmens. Im zweiten Ehejahr, im Oktober 1919, wurde die Tochter Margit, das einzige Kind von Wilhelm und Elisabeth, in Erfurt geboren.

Die kleine Margit wuchs zu einem wachen, intelligenten Kind mit schneller Auffassungsgabe und außergewöhnlicher Schlagfertigkeit heran. Mit Selbstsicherheit und Charme trat sie auf, rührte an die Herzen von Eltern, Freunden, Verwandten, Bekanntem, von wem auch immer, so dass sie bald den Kosenamen: „Nicki", die Niedliche, erhielt. Ihre Mutter war meist in der Nähe, wenn auch beschäftigt und hatte ihr einen kleinen Schreibtisch neben ihren eigenen Arbeitstisch stellen lassen, so dass Margit malen und basteln konnte, wenn Elisabeth mit der Buchhaltung befasst war. Am liebsten mochte Margit, wenn ihre Mutti mit ihr spielte, gleich, ob mit ihren zahlreichen Puppen, die sie und ihre Mutter um die Wette frisierten oder aus- und ankleideten; ob mit der großen zweistöckigen Puppenstube oder ihrem Kaufladen. Welch eine Lust bereitete Margit das Verkaufen! Elisabeth lachte oft herzhaft über die Wortgewandtheit und die Eilfertigkeit, mit der ihre kleine Tochter Verkäuferin spielte. Da brach ihr väterliches Unternehmerblut wahrhaftig voll und ganz durch! In einem Tagebuch mit Ledereinband, welches Elisabeth für ihre Tochter führte, hielt sie neben Margits Entwicklungsschritten Begebenheiten solcher Art fest.

Der große Garten der Familie erschloss sich Margit in ihren Kinderjahren wie ein wildes Paradies. Ein unterirdischer zugemauerter Geheimgang führte von dort zum gegenüber liegenden Gebäude, einer ehemaligen, zweihundert Jahre alten katholischen Stiftskirche, welche Anfang des 19. Jahrhunderts in eine evangelische Pfarrei umgewandelt worden war. Margits Elternhaus war ehemals die Propstei gewesen. In diesem Garten mit seinem sagenumwobenen Geheimgang spielte Margit mit ihren Freundinnen, und die Kinder dachten sich dabei geheimnisvolle und gruselige Geschichten aus.

Im Flur des ersten Stockwerks, direkt gegenüber der breiten Treppe, die vom Erdgeschoss hoch führte, befand sich eine Kirschholzvitrine aus der Biedermeierzeit. Wenn man die Treppe hinaufging, wurde der Blick angezogen von dem darin zur Schau gestellten Familienschmuck. Oft verweilte Margit mit ihren Freundinnen vor dem gläsernen Schmuckschrank der Mutter, die Nase an die Scheiben gepresst. Die Geschmeide regten die Phantasie der Kinder an, ließen sie Prinzessinnen, Königinnen sein, und es kam sogar hin und wieder vor, dass Elisabeth ihrer Tochter eine Kette oder ein Armband oder einen Ring zum Spielen auslieh!

Auch wenn Margit sich ihrer Mutter nah fühlte, so war es doch die vierzigjährige Hausangestellte Berta, die Margit in die nützlichen Dinge des Lebens einführte wie das Zähneputzen zum Beispiel und Margit später, als sie mit dreizehn Jahren zum ersten Mal völlig unvorbereitet von ihrer Monatsblutung überrascht wurde, aufklärte. Ihre Grundkenntnisse in Kochen und Backen hatte Margit ebenfalls von Berta erlernt, ein Wissen, für das sie der einfachen fürsorglichen Frau ihr Leben lang dankbar war.

Weitere Vertrauenspersonen waren für Margit von früher

Kindheit an der Werkmeister der Fabrik und seine Frau. Die beiden bewohnten mit ihren drei Kindern eine kleine Wohnung auf dem Fabrikgelände, und Margit, die bereits als Vierjährige alleine dorthin spazierte, war willkommener Gast.

Familienanschluss wurde Margit auch in der Familie ihrer besten Freundinnen Lisa und Betty gewährt. Für Margit gab es immer einen Platz an der Tafel der frommen Familie. Hier lernte das kleine Mädchen mit Selbstverständlichkeit und Andacht vor und nach dem Essen zu beten.

Der wöchentliche Besuch der Waschfrau wurde von Margit und ihren Freundinnen genauestens verfolgt - das Einweichen der Wäsche, die Vorwäsche mit Schrubben auf dem Waschbrett, Ausschlagen und Klopfen, dann das Kochen der Wäsche in Seifenlauge, vom gleichmäßigen Rühren mit der großen Holzkelle begleitet. Manchmal stellte das Kind sich vor, wie schön es wäre, Waschfrau zu sein.

In einer Einliegerwohnung unter dem Dach der Villa lebte der Großvater Friedrich. Mit Strenge im wilhelminischen Kaiserreich erzogen, wortkarg und voller Disziplin und Würde erschien er seiner lebenslustigen Enkelin Margit unnahbar und Furcht einflößend. Bis zu seinem Tod kurz nach Margits Einschulung begleitete er die junge Familie bei ihren sonntäglichen Spaziergängen mit den beiden Schäferhunden Pit und Pax. Pax - der lateinische Name für „Frieden" - war am Tag des Friedensschlusses des 1. Weltkriegs von Wilhelm erworben worden.

Margits Vater Wilhelm liebte das Außergewöhnliche. Seiner Tochter brachte er eines Tages von einer seiner Tabakseinkaufsreisen zu norddeutschen Häfen einen Schiffspapagei mit, den er einem Kapitän abgekauft hatte. Margit war überglücklich. Ihr Papagei war das schönste Geschenk, das sie von ihren Eltern erhielt. Arras mit rot-blauem Gefieder sprach alles nach, was das Mädchen ihm beibrachte. Er wurde schnell Margits Liebling und engster Vertrauter, dem sie als Kind und Jugendliche ihre kleinen und großen Nöte anvertraute.

Oft fuhr die Familie im offenen Wagen, einem der ersten Autos in Heiligenstadt, aufs Land, dann durfte die Kleine auf der Rückbank sitzen. Wie das Kind den Fahrtwind liebte, wenn er die Nase kitzelte, wie stolz sie war, wenn andere sich staunend und aufgeregt nach dem neuzeitlichen Gefährt umdrehten!

Und auch dies war dein Vater, Mama: Es kam vor, dass er nach einem Konzertabend in Berlin das Orchester in sein Haus einlud, wo er zum Ausklang des Abends eine reichliche Auswahl an Spirituosen bereit hielt.

Nach dem Tod von Wilhelms Vater nahmen die Spannungen zwischen Wilhelm und Elisabeth zu. Manchmal hörte Margit vor dem Einschlafen ihre Eltern laut streiten. Dann bangte sie um die Mutter. Denn ihr Vater war von aufbrausendem jähzornigem Temperament, und Margit hatte Angst, er könnte der

Mutter etwas zuleide tun.

Das Paar lebte sich immer mehr auseinander. Wilhelm dehnte seine Geschäftsreisen aus, und Elisabeth fand Gefallen an ihrem Tennispartner, Hans, einem Lehrer an der örtlichen Mittelschule. Aus seiner Verehrung für Elisabeth machte der gleichaltrige Mann keinen Hehl, und er verstand es auch, das Herz der siebenjährigen Margit für sich zu gewinnen, die eifersüchtig über ihre Mutter wachte und sie mit niemandem teilen wollte, fest davon überzeugt, immer auf sie aufpassen zu müssen.

Bald begann Elisabeths Gesundheit zu schwächeln. Im Winter 1929 erkrankte sie an einer schweren Lungenentzündung, von der sie erst während eines vierwöchigen Sanatoriumsaufenthalts im Allgäu genas. Auch im Jahr darauf verbrachte sie den Winter in Oberstdorf, wo sie Skifahren lernte.

Es kostete Elisabeth Kraft, die Ehe mit Wilhelm aufrecht zu erhalten und den gesellschaftlichen Verpflichtungen in Berlin und in Thüringen nachzukommen. Hans bedrängte sie, sich scheiden zu lassen und machte ihr einen Heiratsantrag.

Im Herbst 1933 erkrankte Elisabeth an Brustkrebs. Margit hatte große Angst um ihre Mutter. So oft es ging, besuchte sie ihre Mutter im Krankenhaus in Berlin. Am liebsten wäre sie nicht von ihrer Seite gewichen.

Nötiger denn je brauchte Elisabeth nach ihrer Entlassung aus dem Krankenhaus im darauf folgenden Winter den Allgäuer Sanatoriumsaufenthalt, den sie auf sechs Wochen ausdehnte.

Man kann sich vorstellen, wie sehr Margit in diesen Wochen ihre Mutter vermisste! Inzwischen besuchte sie das Gymnasium und hatte sich zu einem temperamentvollen jungen Mädchen von dreizehn Jahren entwickelt. Dem Vater versuchte sie, alles recht zu machen. Sie wollte die Mutter gut vertreten, um ihm keinen Anlass zu geben, seiner Frau für ihre Abwesenheit zu grollen. Margit war sich nicht bewusst, dass sie diejenige war, die Elisabeth grollte, sie so lange mit dem Vater allein zu lassen.

Natürlich ließ Hans es sich nicht nehmen, Elisabeth in ihrer Kur zu besuchen. Diese Zeit war trotz ihrer schweren Erkrankung Elisabeths glücklichste Zeit. Als sie nach Thüringen zurück kehrte, war sie schwanger.

Als Elisabeth aus dem Allgäu heimkehrte, hatte Margit das Gefühl, ihre Mutter sei verändert. Sie wirkte bedrückt, und Margit packte die Angst, dass die Krankheit weiter fortgeschritten sein könnte. Sie fühlte sich in einer Ohnmacht eingeschlossen und traute sich nicht, ihre Mutter zu fragen.

Aber es war noch ein anderes Gefühl, welches Margit zutiefst beunruhigte, weil sie es sich nicht erklären konnte: es war ein Gefühl von Ausgeschlossen-Sein. Die gewohnte Zweisamkeit zwischen ihr und ihrer Mutter war überschattet, und sie wusste nicht, warum. Es verunsicherte das Mädchen. Hatte sie, Margit, einen Fehler begangen? Hätte sie bei ihrer Mutter bleiben, mit ihr ins Allgäu reisen und auf sie aufpassen müssen? War die Mutter vom Heimweh geplagt gewesen, trotz der vielen Postkarten an ihre Tochter? Hätte Margit ihr doch nur häufiger geschrieben! Solcherlei Gedanken trieben Margit um.

Nun hatte aber Elisabeth mit dem Kind von Hans unter ihrem Herzen beschlossen, ihren Mann zu verlassen. Die gemeinsame Zeit mit Hans in Oberstdorf hatte ihr vor Augen geführt, dass sie genesen konnte mit einem Mann an ihrer Seite, mit dem sie in Liebe verbunden war.

Allergrößten Kummer bereitete ihr allerdings die Vorstellung, im Falle einer Scheidung ihre Tochter Margit bei ihrem Mann zurück lassen zu müssen. Als eine Frau, die ihren Mann betrog und sich scheiden ließ, verwirkte sie ihren Anspruch auf ihre Kinder, die bei einer Scheidung dem Vater zugesprochen wurden.

Elisabeth war zwischen der Verzweiflung angesichts der Gefahr, ihre Tochter zu verlieren einerseits und voller Hoffnung auf ein neues Leben mit Hans an ihrer Seite andererseits hin und her gerissen. Schließlich beschloss sie, Wilhelm ihre Schwangerschaft zu verheimlichen und ihm nur ihre Trennungsabsichten kund zu tun, in der Hoffnung, sich mit ihm gütlich einigen zu können. Erst danach wollte sie ihren Mann darum bitten, Margit mit ihr ziehen zu lassen.

Eines Abends eröffnete sie Wilhelm, dass sie ihn verlassen und Hans heiraten wollte.

Wilhelm war aufs Äußerste getroffen und verletzt, weil seine Frau ihn hintergangen hatte. Den Gedanken, dass sie ihn betrogen hatte, konnte er nicht ertragen - auch wenn er von dem Kind nichts wusste. Er schrie Elisabeth an, er geriet außer sich, sein Jähzorn steigerte sich, er legte Hand an seine Frau, schlug auf sie ein und stieß sie wutentbrannt und voller Hass, als sie sich vor ihm in Sicherheit bringen wollte, die Treppe hinunter. Die Hausangestellte Berta schreckte bei dem lauten Streit aus dem Schlaf hoch und lief so schnell sie konnte, um der gnädigen Frau zu Hilfe zu kommen. Diese lag ohnmächtig am Boden, mit mehreren gebrochenen Rippen und angebrochenen Wirbeln. Berta konnte sie aus der Ohmacht wecken, während Wilhelm den Arzt rief. Er stellte Elisabeths Sturz als einen tragischen Unfall dar, mit dem er nicht das Geringste zu tun hatte.

Nach vier Wochen wurde Margits Mutter mit einem Korsett und unter der Auflage strengster Bettruhe aus dem Krankenhaus entlassen und in ihr Haus nach Thüringen im Eichsfeld gebracht. Ihr Kind von Hans hatte sie durch den Sturz verloren. Wie sie zu Fall gekommen war, darüber schwieg sie.

Bis zu ihrem Tod einige Monate später blieb sie bettlägerig und wurde von einer Krankenschwester versorgt. Margit saß jede freie Minute bei ihr, meistens mit ihrem Papagei auf den Schultern. Sie versuchte die Mutter aufzuheitern, sie sang für sie Wander- und Volkslieder, und manchmal fiel die Mutter in die Melodie mit ein, in Erinnerung an ihre Jugendzeit im Wanderverein. Dann wieder las Margit ihr Geschichten vor. Täglich stellte sie frische Blumen ins Blickfeld ihrer Mutter auf den Tisch, die sie in diesem bereits milden Frühling im Garten pflückte. Sie öffnete den zahlreichen Freunden und Bekannten, die zum Krankenbesuch kamen, höflich die Tür und empfing auch Hans, dessen Besuche sie allerdings immer weniger mochte, nicht nur, weil die Mutter sie dann meist aus dem Zimmer schickte, sondern auch, weil es ihr so vorkam, als sei er über die Maßen wegen Elisabeths Geschick betrübt, und Margit glaubte, so viel Schmerz stünde ihm nicht zu.

Mit dem Bruch ihrer Wirbelsäule war auch Elisabeths Lebenswille gebrochen. Ohne die Aussicht, wieder ganz zu genesen, ohne die Hoffnung auf Erfüllung ihrer Liebe hatte das Leben für sie keinen Sinn mehr.

Drei Monate später starb sie.

Elisabeths Tod versetzte Margit in einen lebenslänglichen Schockzustand. Es war, als wäre ein Teil ihrer Seele zusammen mit ihrer Mutter für immer von dieser Welt gegangen.

Beigesetzt wurde sie in Berlin im Erbbegräbnis der Familie. Man mutmaßte über die Todesursache, und es kursierten verschiedene Variationen: Einige munkelten, Elisabeth hätte im Allgäu einen Skiunfall gehabt und diesen zu vertuschen versucht, weil ihr das Skifahren verboten gewesen sei. Andere glaubten, dass sie durch Röntgenbestrahlung gestorben sei. Der Krebs habe sie ereilt, war die Meinung Dritter.

Erst von Berta erfuhr Margit viele Jahre später die Wahrheit: dass ihr Vater ihre Mutter in einem Jähzornsanfall die Treppe herunter gestoßen hatte.

Davon, dass ihre Mutter den Vater verlassen wollte und sie

bei ihm zurück gelassen hätte, erfuhr Margit nie. Ebenso wenig, dass sie durch den Tod ihrer Mutter gleichzeitig eine kleine Halbschwester oder einen Halbbruder verloren hatte.

Schuldgefühle machten sich in Margit breit. Sie warf sich vor, die Mutter nicht genug geliebt zu haben. Sie hätte sie mehr lieben müssen, um sie halten zu können, war ihre kindliche Überzeugung. Sie hätte sie vor dem Vater beschützen müssen, klagte sie sich an.

Dennoch befolgte sie gehorsam den Auftrag ihrer Mutter, den diese ihr kurz vor ihrem Ableben erteilt hatte: gut für den Papi zu sorgen - was immer auch ihre Mutter darunter verstanden hatte, was immer auch sie, Margit, darunter verstand.

Sie glaubte, ihrer vergötterten Mutter nahe sein zu können, indem sie diesen Auftrag erfüllte.

Dass mein Großvater ein böser Mann war, galt für mich wie ein Dogma, Mama. Natürlicherweise musste er in deinen Augen auch für mich ein böser Mann sein, ohne dass ich von seiner Schuld am Tod deiner Mutter gewusst hätte.

Aber Mama, er tat mir leid, weil du so böse auf ihn warst!

Ich vermisste meinen Opa, den einzigen, der von meinen Großeltern damals noch lebte. Wie freute ich mich jedes Jahr, wenn ich zur Adventszeit die aus Holz geschnitzten musizierenden Barockengelchen aufstellen durfte, Kunsthandwerk aus dem Erzgebirge, die dein Vater mir zu meinem ersten Weihnachtsfest geschenkt hatte.

Zum ersten Mal begegnete ich ihm im Alter von 16 Jahren. Auf mein Drängen hin bist du eines Tages mit mir nach Berlin gereist und auch, weil du von ihm das Tagebuch einfordern wolltest, in welchem deine Mutter von deiner Geburt an deine Entwicklung und Begebenheiten aus deinem Kinderleben fest- gehalten hatte.

Nie werde ich vergessen, wie du ihm entgegen eiltest, „Pa- pa" rufend, schmerzhaft, sehnsuchtsvoll, während er, Anfang siebzig, in der geöffneten Wohnungstüre stand und uns bewegt und hilflos entgegen blickte. Dann bist du auf den wenigen Stufen, die vom Hauseingang zu seiner Erdgeschosswohnung hoch führten, gestolpert, knicktest ein und fielst hin. Als du schließlich vor ihm standest, umarmtet ihr euch.

In seiner muffigen Sozialwohnung hatte er den Kaffeetisch stilvoll gedeckt und sprach mich in fließendem Französisch an. Ein feiner goldener Armreif lag als Geschenk an meinem Platz.

Ich wunderte mich darüber, dass du mit ihm nicht böse sprachst und dass ich ihn nicht böse fand.

4. Kriegsjahre

Der Tod von Margits Mutter fiel in die Zeit, in welcher der „Führer" in Deutschland an Macht gewann. Wilhelm, welcher sich der Mitgliedschaft in der Nationalsozialistischen Partei widersetzte und einigen jüdischen Bekannten zur Flucht verholfen hatte, verbot seiner Tochter, Mitglied im Bund deutscher Mädchen zu werden.

Er beschloss, dass Margit nach der Mittleren Reife die Schule verlassen sollte, um eine kaufmännische Lehre zu beginnen und anschließend in der Fabriksleitung zu arbeiten. Als Klassenbeste traf Margit diese Entscheidung schwer, denn sie bedeutete das Ende ihres Wunsches, zu studieren. Sie wehrte sich heftig dagegen, und auch die Lehrer versuchten den Vater umzustimmen. Doch Wilhelm kümmerte sich nicht um die Begabungen und Gefühle seiner Tochter und stellte sich ihren Bitten gegenüber, das Abitur machen zu dürfen, taub. Aber Margit ließ nicht locker, bis er schließlich handgreiflich wurde. Er packte seine Tochter an den Schultern, schüttelte sie hin und her, schlug sie und schrie laut auf sie ein.

Margits Tanzstundenfreunde und weitere Verehrer, die in den kommenden Jahren um das junge Mädchen warben, behandelte er herablassend und beleidigend, so dass sie wieder von Margit ließen.

Doch nicht genug damit! Wilhelm schien darüber hinaus, was das Leben seiner temperamentvollen, gut aussehenden

Tochter betraf, keine Grenzen zu kennen. Er fand selbst Gefallen an ihr und verging sich an ihr, um sie zu lehren, „wie Mann und Frau sich lieben."

In gesetzlicher Abhängigkeit von ihrem Vater und in ihrer Treue zum mütterlichen Gebot, „immer für den Papa zu sorgen" war Margit unfähig, sich aus der inzestuösen Beziehung mit ihren Vater zu befreien. An seinem gewissenlosen Umgang mit ihr änderte auch die Tatsache nichts, dass Wilhelm bald nach Elisabeths Tod wieder heiratete, die erste von zahlreichen Frauen, die von nun an in sein Leben traten.

Wie in Trance erlebte Margit diese Vorkriegsjahre, fuhr täglich, ohne die bedrohliche politische Lage wahrzunehmen mit der U-Bahn quer durch Berlin zu ihrer Arbeitsstätte als Sekretärin in ein Anwaltsbüro. Trotz vieler langjähriger guter Freundschaften vertraute sie sich aus Scham niemandem an.

Sein ausufernder Lebensstil führte Wilhelm darüber hinaus bald an seine finanziellen Grenzen, die er aber in wahnhafter Selbstüberschätzung ignorierte.

Machtlos musste Margit mit ansehen, wie ihr Vater den Familienschmuck Stück für Stück an seine Liebschaften verschenkte oder im Leihhaus gegen bare Münze tauschte. Ebenso wenig konnte sie den Verkauf des elterlichen Hauses in Thüringen verhindern, womit sie ihres Erbes verlustig ging.

Schließlich musste Wilhelm auch die Fabrik veräußern und erwartete von seiner Tochter, ihn zu versorgen.

Zuletzt verkaufte Wilhelm sein Haus in Berlin. Das Inventar, - Gobelins, Ölgemälde, Tafelsilber, Biedermeiermöbel - versuchte er, mit einem LKW nach Thüringen in Sicherheit zu schaffen. Russisches Militär hielt den Lader jedoch an und beschlagnahmte ihn mit seinem gesamten Inhalt.

Nach dem Verkauf der Villa nahm Margit die Gelegenheit wahr, sich ein kleines Zimmer in Untermiete zu nehmen. Fast wäre ihr das Herz gebrochen, als sie sich deshalb von ihrem geliebten Papagei Arras trennen musste. Aber sie sah keine Möglichkeit, weiterhin für das Tier zu sorgen. Der Abschied war herzerweichend, denn auch der kluge Vogel spürte, dass es eine Trennung für immer war. Unentwegt rieb er ein letztes Mal zärtlich sein Köpfchen am Hals seines Frauchens, ihr dabei ins Ohr krächzend: „Arras ade, Arras ade".

Der Krieg brach aus. Margits Freunde wurden in den Krieg eingezogen. Auf einen Schlag bestand ihr Freundeskreis fast nur noch aus Frauen. Bald folgte Margit dem Aufruf an die Berliner Bevölkerung zur freiwilligen Evakuierung all derer, deren Tätigkeit für die Kriegsführung nicht unabkömmlich war. Sie wurde in die Nähe von Magdeburg geschickt.

Mit vier Schulkameraden aus ihrer Thüringer Heimat unterhielt sie einen regen Feldpost-Briefwechsel. Ein Freund war darunter, mit dem sie mehr als nur Kameradschaft verband: Hanns-Harro war in Margit verliebt. Seine Briefe waren voller bunter Tusche-Karikaturen, die Margit und ihn darstellten. Die heiteren Bilder in prächtigen Farben, mit Freude und Sorgfalt gezeichnet, stellten einen nicht zu übersehenden Kontrast zum grauen Soldatenleben in den Baracken und Schützengräben „irgendwo im Osten" dar. Hanns-Harros Briefe offenbarten Gedanken voller Tiefgang und zeigten einen selbstbewussten, aufrichtigen Mann mit einem starken Charakter, zuversichtlich, nach einem baldigen Sieg Deutschlands wieder von der Front heimkehren zu dürfen.

Oft stellte Margit sich vor, wie es wäre, ihn zu heiraten, denn eine verheiratete Frau wollte sie auf alle Fälle sein. Sie hoffte, dass der Krieg, der fast alle heiratsfähigen Männer in ihrem Alter zum Dienst einforderte und meist mit dem Tod dafür belohnte, sich endlich dem Ende näherte. Doch sollte dieses Ende noch zwei weitere Jahre auf sich warten lassen.

Von ihren vier Brieffreunden fielen drei.

Schließlich fiel auch Hanns-Harro, wenige Wochen vor dem Kriegsende 1945. Margit war verzweifelt. Mit seinem Tod brachen ihre Zukunftspläne in sich zusammen. Sie würde nicht in ihre thüringische Heimat zurück gehen. Auch gab es nichts, das sie wieder nach Berlin, welches in Schutt und Asche lag, zog. In Magdeburg war sie inzwischen heimisch geworden. Hier war sie Paul begegnet.

Nein, Mama, ich kann mir nicht vorstellen, wie es ist, im Krieg zu leben. Wie es sich anfühlt, wenn der Liebste im Feld erschossen oder von Granaten zerfetzt oder wegen angeblichen Hochverrats hingerichtet wird. Es muss entsetzlich für dich gewesen sein.

Als du mir von Hanns-Harro erzähltest, Mama, fühlte ich mich ihm sehr nah. Später kam es mir eigentümlicherweise vor, als stünde ich in seiner Schuld.

Es gäbe mich nicht, Mama, und ebenso wenig meine Kinder, wenn er nicht gefallen, sondern dein Mann geworden wäre!

5. Junge Familie

Endlich hatte Michael in Bayern Arbeit gefunden. Der Klein-
unternehmer Buchner sah mit untrüglichem Gespür in den
kommenden Jahren alle Wohnungen und Büros Westdeutschlands mit Linoleum ausgelegt und witterte einen viel ver-
sprechenden Markt. Michael sollte den Vertrieb aufbauen.

Nun mag man die Ansicht vertreten, dass ein Politiker stets
auch ein guter Verkäufer sein muss, so dass der Weg vom Minister zum Linoleumvertreter durchaus schlüssig sein kann.
Weder zeigte Michael jedoch Schwung, noch auch war er von
Sinn und Notwendigkeit des Linoleums überzeugt. Mit Frau
und Kind an der Seite war er sich seiner Verantwortung als
Ernährer der Familie zwar bewusst, aber er bezog daraus keine
Kraft. Auch wenn er es sich nicht eingestehen wollte, aber: er
war ein gebrochener Mann. Zu sehr hatten die Demütigungen
seiner inzwischen fünfjährigen Arbeitssuche an seinem Stolz
genagt.

Der Grund dafür, dass seine Versuche, politisch im Westen
Fuß zu fassen, scheiterten, lag darin, dass er von einem ostdeutschen Gericht wegen „politischer Agitation und Propaganda" zu zehn Jahren Zuchthaus verurteilt worden war. Da
er sich in der „Ostzone" 1947 der Gleichschaltung der Parteien
widersetzt hatte, war er zum Staatsfeind erklärt worden. Der
Festnahme war er aufgrund einer frühzeitigen Warnung mit
seiner Flucht nach Westdeutschland zuvor gekommen. Solan-

ge, bis das ostdeutsche Urteil vom westdeutschen Ober-
landesgericht in Hamm nicht überprüft und für nichtig erklärt
werden würde, - was erst 1962 geschehen sollte -, war ihm ein
angemessenes politisches Amt verwehrt, und ihm haftete der
Makel eines rechtskräftig - wenn auch zu Unrecht – Verurteilten an.

In Bayern bewohnte die junge Familie eine kleine Zwei-
Zimmer-Wohnung mit Küche und Toilette im Erdgeschoss. Es
gab weder Badewanne noch Dusche. Man wusch sich in der
Küche, die mehr oder weniger im Dunkeln lag. Denn steckte
man den Kopf durch das Küchenfenster hinaus, schaute man in
den Ziegenstall des Hausbesitzers, der ihn zu Margits Entsetzen direkt an die Hauswand vor das Küchenfenster angebaut
hatte. Michael und der kleinen Helga machte der Geruch der
Ziegen nichts aus, im Gegenteil, Helga mochte den warmen
säuerlich-herben Fell- und Mistgeruch und hörte auch das Ge-
mecker der Tiere gerne.

Bei viel frischer Landluft und ausgedehnten Spaziergängen
mit der Mutter in den Inn-Auen entwickelte sich das kleine
Mädchen gut. Altersgemäß lernte es zu krabbeln, bekam die
ersten Zähnchen, zog sich an den Schränken hoch, lernte lau-
fen, schließlich sprechen. Die Kleine zeichnete sich durch eine
schnelle Auffassungsgabe aus, ihre Bewegungen waren geschickt, fein und kraftvoll, und meistens strahlte sie, ganz zur
Freude ihrer Mutter. Sie war ein rechter Sonnenschein, das
Licht in Margits Leben.

Als Helga eines Tages im Alter von zwei Jahren an einer hartnäckigen Bronchitis erkrankte, bot die tatkräftige, bodenständige Frau Buchner an, sie mit auf ihre Alm in die Berge zu nehmen, um sie dort bei Ziegenmilch und frischen Kräutern wieder zu kräftigen. Margit und Michael stimmten zu, und nach einer Woche erhielten sie ein gesundes und kraftvolles, lebendiges Kind ohne Anzeichen einer Erkrankung wieder zurück.

Jeden Morgen durfte Helga mit einer Blechkanne im benachbarten Lebensmittelladen frische Milch holen. Sie kam sich dabei sehr wichtig vor und liebte dieses Ritual vor allem auch deshalb, weil die Inhaberin des kleinen Geschäftes ihr jedes Mal einen Bonbon schenkte. Während die Frau im Nebenraum die Milch in die Kanne einfüllte, wickelte Helga ihren Bonbon aus, betastete das hellbraune Bonbonpapier, steckte die Süßigkeit in den Mund und das Papier in ihre kleine Schürzentasche - sie trug fast immer ein Schürzchen -, um später damit zu spielen.

Im ersten Stock des Hauses lebte eine Familie mit vier Kindern. Wenn Helga im Garten oder vor der Garage mitspielen durfte, war sie überglücklich. Mit der ältesten Tochter dieser Familie hatte es eine besondere Bewandtnis: sie verstand sich auf die Zeichenkunst und schenkte Helga viele selbst gemalte Bilder. Es gehörte zu den Lieblingsbeschäftigungen des kleinen Mädchens, diese naturgetreuen bunten Zeichnungen einer heilen Welt andachtsvoll zu betrachten. Das Kind war gebannt von der Schönheit der dargestellten Figuren, die mit feinen farbigen Strichen auf das Papier wie aus dem Nichts gezaubert waren, und es war ihr sehnlichster Wunsch, eines Tages ebenso malen und zeichnen zu können!

Michaels neue Tätigkeit brachte es mit sich, dass er als Vertreter des Buchnerschen Linoleumhandels in bayerische Städte zum Kundenbesuch reiste. Als er in Passau unterwegs war, versperrten plötzlich zwei zivile Polizeibeamte seinen Weg und nahmen ihn fest. Es war damals üblich, dass die Sowjets Spione in Westdeutschland einschleusten, indem sie vorsätzlich Agenten wegen „politischer Agitation und Propaganda" verurteilten und ihre Flucht vortäuschten, damit diese in Westdeutschland ihre Spionagetätigkeit unter dem Deckmantel des politischen Flüchtlings aufnehmen konnten. Michael wurde vom westdeutschen Geheimdienst verdächtigt, ein solcher Agent zu sein.

Für Margit brach eine Welt zusammen! Gerade schien das Leben sich ein wenig freundlich zu zeigen, da wurde sie mit ihrer kleinen Familie erneut von einem Schicksalsschlag getroffen! In ihrer Verzweiflung telegrafierte Margit ihrer Tante in Hannover, der jüngeren Schwester ihrer Mutter, und bat um Unterstützung. Eine Nachbarin namens Anni bemerkte die Not und sprach Margit an. Voller Mitgefühl schenkte sie ihr beherzt fünfzig DM, genug, dass Margit und ihre kleine Tochter einen Monat davon leben konnten.

In Margit, die nächtelang vor Sorgen kein Auge zutat, arbeitete es unaufhörlich. Sie musste wieder eine Arbeit finden, auf Michael war kein Verlass. Schon ließen ihre marternden Gedanken sie die Unschuld ihres Mannes anzweifeln. Michael besaß viele Beziehungen zu ehemaligen ostdeutschen Mitstreitern, die inzwischen ebenfalls in den Westen geflohen waren, und wer weiß, vielleicht gab es einen Spion darunter, der auf ihn angesetzt war?

Da erfuhr Margit von einem Arzt im Nachbardorf, der eine Hilfe für Haus und Praxis suchte. Gezeichnet von jahrelangem Lazarettdienst und Gefangenschaft war er erst vor wenigen Jahren heim gekehrt.

Am nächsten Tag wurde Margit vorstellig. Der Mann wies Margit darauf hin, dass sie ihre kleine Tochter nicht mitbringen könne. Allerdings würde er beim ersten Mal eine Ausnahme machen und sie könne sogleich mit der Arbeit beginnen.

Schnell fand sich ein junges Mädchen, Petra mit Namen, die von nun an zweimal wöchentlich kommen würde, um auf Helga für ein Taschengeld aufzupassen, damit Margit zur Arbeit gehen konnte.

Inzwischen war Michael nach zwei Wochen Untersuchungshaft in München vor Gericht gestellt worden. Er hatte auf einen Anwalt verzichtet und, promovierter Jurist, sich selbst mit Erfolg verteidigt, so dass er vom Verdacht der Spionagetätigkeit frei gesprochen worden war.

Als er nun erneut gedemütigt und verbittert zu Frau und Kind zurück kehrte, fand er veränderte Verhältnisse vor. Sein ehemaliger Arbeitgeber stellte ihn nur unter Vorbehalt und mit verminderter Entlohnung als Buchhalter wieder ein, und seine Frau ging putzen. Welche Schande!

Michaels Besuche im Wirtshaus wurden häufiger. Es nahm niemand Notiz davon, dass sich auch die Menge Alkohol, die er trank, steigerte. Bier macht den Mann, daran war schließlich nichts Anrüchiges! Dafür nahm Michaels Männlichkeit in anderen Bereichen ab. Margit war dies recht. Sie wollte kein weiteres Kind, kein Kind von Michael. Und wenn Alkohol aus dem Mund ihres Mannes ihr entgegen wehte, wandte sie sich ab.

Lieber verzehrte sie sich in Sehnsucht nach Paul. Manchmal ließen sie die Gedanken an den wahren Vater ihres Kindes Tag und Nacht nicht los. Dann konnte sie nicht anders als ihr Kind fest an sich zu drücken und den makellosen Kleinkindkörper liebeshungrig zu liebkosen. Mit erotisierenden Zärtlichkeiten, mit Streicheln, mit Küssen, mit Lecken und Saugen überflutete sie das wehrlose Kind, welches sich abzuwenden oder einzurollen versuchte und stellte sich dabei vor, Paul vor sich zu haben.

Mama, es kommt mir so vor, als hättest du mich durch diese Berührungen für immer an dich gebunden. Es kommt mir so vor, als hätten deine falschen Zärtlichkeiten mein Gefühl für mein Anrecht, um meiner selbst willen geliebt zu werden, für immer ausgelöscht.

Ich war wie deine Puppe.

6. Ende einer Kindheit

Ist es nicht eigenartig, Mama, dass ich mich bis heute nicht an Petra erinnern kann? Als wäre sie wie ausgelöscht aus meinem Gedächtnis. Allerdings weckt ihr Name Assoziationen an Gefühle und daran, dass du bei ihrem Eintreffen das Haus und damit mich verließest, um zu deiner Putzstelle zu gehen.

Mit Petras Ankunft, Mama, nahm ich eine Gefühlsveränderung an dir wahr, Gefühle von Sehnsucht und Scham, die ich damals nicht verstand. Es war, als wäre ich bei deinem Weggang wie eingelullt in einen Nebel von Schuld und Heimlichkeit und Leichtsinn. Dies löste Verwirrung und Angst in mir aus und führte vermutlich zu meiner unbewussten Schutzreaktion, dein mit Petras Erscheinen verknüpftes Weggehen im Nachhinein ungeschehen machen zu wollen, indem ich Petra einfach vergaß.

Eines Tages war Petra krank. Margit bat Michael, auf das kleine, fast vierjährige Kind aufzupassen, während sie zur Arbeit ging.

Dann, Mama, geschah das Schlimme, das ganz und gar Entsetzliche:

Es war ein milder Altweiberherbsttag im späten Oktober. Helga spielte im Garten, allein. Da begann es leicht zu regnen.

Neugierig betrachtete sie einen Regentropfen, der auf dem Blatt eines Busches liegen blieb. Es freute sie, und sie staunte darüber und fragte sich, warum er nicht herunter rollte. Schließlich stieß Helga vorsichtig gegen das Blatt und sah, wie der Tropfen zerfloss. Dann bückte sie sich, rührte mit ihren Händchen die feuchte Erde, mengte sie wie Teig, zog Kreise, malte Muster und merkte schließlich, dass ihre Hände schmutzig wurden. Sie rieb sie an ihrer Schürze ab und erschrak, als sie sah, dass sie nun den Stoff beschmutzt hatte. Die Mutter war weg gegangen. Dennoch hatte das Kind das Gefühl, die Mutter wäre im Haus, als sie gedankenverloren hineinlief, um sich von ihr den restlichen Schmutz von den Fingern abwischen zu lassen. Erst als das Mädchen vom Hausflur aus durch die offene Wohnungstür trat, bemerkte es an der Stille, dass die Mutter nicht da war und sah den Mann, der als ihr Vater galt. Er saß am Tisch, die Zeitung vor sich ausgebreitet, ein Glas Bier daneben und drehte den Kopf zu Helga hin, als sie in das Zimmer trat. Sein Blick war leer, wie blöde, und das Mädchen hatte das Gefühl, als müsste es ihn aufwecken und es trat näher, mit ausgestreckten Händen, mit der Bitte, mit der Geste, er möge es säubern. Der Mann winkt Helga zu sich, hebt sie auf seinen Schoß, instinktiv schiebt das Kind seine rechte Hand unter sein Gesäß, als wollte es sie unsichtbar und unbeweglich machen, der „Vater" ergreift mit seiner rechten Hand Helgas linke, führt sie an die Hose über seinem Geschlecht mit den Worten, da könne sie ihre Händchen trockenreiben, und krault ihr mit seiner linken Hand den Kopf. Helgas Blick fällt auf den Zeitungsständer an der Wand, sonst sieht sie nichts, hört nichts, fühlt nichts, sagt nichts, ist nichts.

Als Margit vom Arzt nach Hause kam, hatte ihr Kind Fieber. Die Mutter glaubte, Helga hätte sich draußen im Sommerregen erkältet und warf ihrem Mann vor, die kleine Tochter nicht rechtzeitig herein gerufen zu haben.

Zwei Monate gingen ins Land. Es war ein nasskalter November, der Winter stand vor der Tür. Margit war inzwischen klar geworden, dass der Arzt sie nicht nur zum Putzen eingestellt hatte, sondern auch andere Absichten mit ihr verfolgte.

Da Margit seine Annäherungsversuche nicht abwehrte, unterbreitete er ihr schließlich ein Angebot. Er wollte mit ihr eine Übereinkunft treffen: wenn sie ihm auch körperlich zu Diensten sein würde, dann würde er ihr Entgelt aufstocken. Margit bat um Bedenkzeit.

Da wurde Helga plötzlich eines Abends wie aus heiterem Himmel von einem heftigen Fieber heimgesucht.

Und erneut ereignete sich etwas ganz und gar Schreckliches im Leben des kleinen Mädchens:

Michael war nicht zu Hause. Margit hatte den Arzt kommen lassen. Als sie die Wohnung verließ, um bei den Nachbarn ein Stockwerk höher ein Fieberthermometer auszuleihen, hob der Mann die fiebernde Helga aus ihrem Bett, entkleidete sie bis aufs Hemd, während er in freundlichem, vertrauensvollen Ton etwas von „Wie-Fieberthermometer-Anfühlen" zu ihr sagte und sie mit dem Rücken auf das elterliche Bett legte. Dann vergeht er sich an dem Kind, dreht es wie eine Puppe auf den Bauch, um sich ein weiteres Mal an ihm zu vergehen. Das Mädchen ist zu Tode erstarrt, unfähig zu irgendeiner Regung, sei es eine Bewegung oder ein Schrei.

Bei Margits Eintreffen einige Minuten später empfing der Arzt sie mit den Worten, er habe Helga inzwischen untersucht. Margits forschender und irritierter Blick in die Augen ihres Kindes, der für Helga von ganz weit her, wie aus fremder Ferne kam, zeigte, dass sie zwar eine Veränderung an ihrem Kind wahrnahm, was sie für Sekundenbruchteile aufmerken und stutzig werden ließ. Aber, mit dem Arzt an ihrer Seite schob sie diese Veränderung auf Helgas fiebrige Erkrankung.

Als Michael später von der Gastwirtschaft heimkehrte, brachte er Helga einen Riegel Nougat mit.

Mama, warum?

Langsam genas Helga. Kaum war sie wieder zu Kräften gekommen, als sie von zu Hause weglief. Eine ohnmächtige Wut trieb sie dazu an. Gleich, was geschehen würde, nichts konnte schlimmer sein als das, was sie erfahren hatte und was sie hinter sich ließ. Ihre Entschlossenheit erfüllte sie mit Kraft, ohne sie ihre abgrundtiefe Verzweiflung und Einsamkeit spüren zu lassen. Mit ihren kleinen Füßchen erklomm sie den steilen Fußweg bergauf zum Ortskern und redete sich ununterbrochen laut Mut zu.

Eine Frau mit einem Kind an der Hand bemerkte die im heftigen Selbstgespräch vertiefte Helga. Sie sprach sie an und fragte freundlich, wo denn ihre Mutter sei. Offenbar spürte sie die Verwirrung des Mädchens. Es ging etwas Beruhigendes von dieser Frau aus, so dass Helga Vertrauen fasste. Die fremde Mutter begleitete sie in ein nahe gelegenes Friseurgeschäft. Dort veranlasste sie, Margit zu benachrichtigen. Der Friseur besaß ein Telefon ebenfalls wie die Nachbarin Anni, deren Namen Helga nannte. Nach längerem Zögern überließ die fremde Mutter Helga der Obhut der Friseurin, die beruhigend auf das Kind einredete. Das Mädchen durfte auf einem Stuhl Platz nehmen und wartete inmitten von Kundschaft, neugierigen, verwunderten und abschätzenden Blicken ausgesetzt.

Je länger Helga so dasaß und wartete, umso mehr verließ sie ihr anfänglicher Mut, und sie begann, sich kleiner und kleiner zu fühlen, bis sie schließlich nur noch Angst spürte.

Das Kind hatte Angst, von der Mutter bestraft und auf immer in die Nichtbeachtung verstoßen zu werden. Helga erwartete Strafe gleichermaßen sowohl für das Weglaufen als auch für das Schlimme, das ihr davor widerfahren war - als hätte sie es verursacht und zu verantworten!

Als Margit ihr Kind abholte, wirkte sie beklommen und verunsichert. Nur mühsam konnte sie die Fassung wahren. Es kam Helga vor, als schämte ihre Mutter sich für ihr ungezogenes Kind, ja, als sei für sie die Bloßstellung durch das Reiss-Aus-

Nehmen ihrer kleinen Tochter von größerer Bedeutung als die Frage nach den Beweggründen dafür.

Margit verstand nicht, dass Helgas Weglaufen ein verzweifeltes Signal war, dass etwas ganz und gar unerträglich Schlimmes mit ihr geschehen war, dass sie die Geborgenheit ihres Zuhauses und jeden Schutz verloren hatte! Anders als durch Flucht konnte das Kind nicht darüber sprechen, ihm fehlten die Worte für das, was, wie ihm geschehen war.

Wie auch? Schließlich spürte auch Margit sich nicht und gab sich beim nächsten Putztag im Arzthaushalt ihrem Arbeitgeber hin.

Nein, Mama, du warst dir keinesfalls bewusst, dass dein Kind aufgehört hatte, sich zu spüren, als ihm das Schlimme widerfahren war, von dem du keine Notiz nehmen wolltest. Du warst dir keinesfalls bewusst, dass es sich auch weiterhin nicht spüren würde, weil seine Mutter nichts verstand. Du wolltest nicht erkennen, dass mein Schicksal mit dir zu tun hatte.

Vermutlich hast auch du dich nie wirklich gespürt Mama, nie mehr nach dem Tod deiner Mutter und dem Missbrauch durch deinen Vater und dem Krieg und dem Soldatentod deiner Freunde und dem Vergessenwollen meines Vaters und deinen Abtreibungen.

Auf dem Grund deines Herzens warst du verzweifelt, Mama. Dies hat dich, so kommt es mir vor, gefühllos gegenüber meiner Verzweiflung gemacht.

7. Es muss weiter gehen

Ein halbes Jahr später, bald nach Helgas viertem Geburtstag, brach die Familie ihre Zelte in Bayern ab. Man fand eine vorüber gehende Bleibe bei Michaels lediger Schwester Annemarie, einer pensionierten Lehrerin in Köln, ein „Fräulein", darauf legte sie großen Wert. Ihr dicker Kropf, der sich über jeden Blusenkragen wölbte, machte Helga Angst, dass ihre Tante daran ersticken könnte.

Das Haus, in welchem Annemaries Wohnung sich befand, stand in einer Reihe Jugendstilhäuser, die zum großen Teil zerbombt worden waren. Man konnte Ende der fünfziger Jahre noch viele Spuren des Krieges sehen. Die Wiederaufbauarbeiten waren längst nicht überall abgeschlossen, und es gab Lattenzäune und zu Holzverschlägen zusammen genagelte Haustüren. Verwundert verweilten jedes Mal beim Vorübergehen Helgas Blicke wie ein Ritual auf zerbröckelndem Mauerwerk und von Unkraut überwucherten Steinhaufen. Was das Mädchen an den Überresten zerbombter Häuser störte, war das Gefühl von Unordnung, das sie vermittelten, so dass Helga am liebsten eigenhändig aufgeräumt hätte. Wenn sie vor den Ruinen stand, war sie fassungslos, dass diese Steine mehr wussten und mehr gesehen hatten als sie, obwohl diese doch nur leblose Dinge waren, während sie, Helga, lebte, also höher in der Rangordnung der Schöpfung stand! Die Dinge bezeugten eine Geschichte, während Helga ihre Vergangenheit vergessen hatte.

Es gehörte zu den Angewohnheiten des kleinen Mädchens, sich im ständigen Gespräch mit den Dingen um sich herum zu befinden, als würde es durch die Gegenstände in die Gegenwart eingebunden. Mit ihnen war Helga in Kontakt, ja, sie schrieb ihnen sogar mehr Lebensrecht zu als sich selber. Stieß sie sich zum Beispiel an einem Stuhl, entschuldigte sie sich bei ihm und streichelte ihn. Darüber vergaß sie ihren eigenen Schmerz.

War Helga alleine, sprach oder sang sie laut vor sich hin. Hänschen Klein war ihr Lieblingslied. In ihren Tagträumen sehnte sie sich in die weite Welt hinaus. Dabei fühlte sie sich zeitlos: ihr war bewusst, in dem gegenwärtigen Moment ihrer Sehnsucht nur in ihren Gedanken und nicht wirklich in ihrem Körper in ferne Länder reisen zu können. Aber sie hatte das Gefühl, nach ihrem Tod, - zwar in einem anderen Leben aber dennoch mit ihrem gegenwärtigen Körper -, in diese Länder zu gelangen, und zwar in eben dem Zustand, in dem sie und die weite Welt sich jetzt befanden, als sei die Zeit aufgehoben. Das Kind war sich der Unmöglichkeit dieser Vorstellungen durchaus bewusst und fühlte sich dennoch in einer allübergreifenden allgegenwärtigen Wahrheit gehalten.

Es kam Helga oft vor, als lebte sie in zwei Welten gleichzeitig: sie erlebte sich sowohl in ihrem Körper, als auch außerhalb, wie daneben stehend, als sei sie eine fremde Person.

Annemarie mochte Helga, und eines Tages schlug sie vor, dem Kind einen Puppenwagen zu schenken. So fuhr sie mit

Schwägerin und Nichte mit der Straßenbahn in ein Kaufhaus in Kölns Innenstadt. Helga liebte Straßenbahn fahren. Es weckte ihre Neugier, an den Menschen und Häusern vorbei zu gleiten. Sie war voller Vorfreude.

Ihre Aufregung steigerte sich beim Anblick des Kaufhauses. Welch eine Fülle an schönen Dingen erwartete sie dort! Solch ein Paradies stellte die Spielwarenabteilung dar! Helga konnte nicht anders als jeden einzelnen Puppenwagen abzutasten, mit ihren Fingern prüfend und liebevoll zugleich über Material und Form zu streichen. Nach langer Wahl entschied sie sich für ein blaues Modell. Doch nicht genug! Zur Krönung durfte sie sich zusätzlich eine Babypuppe aussuchen! Wie glücklich war sie, als sie ihre Puppe, die sie Doris taufte, in den Armen hielt! So anschmiegsam wirkte die Puppe in ihren weichen Babyformen, frisch und unberührt, wie der Vorbote eines Neuanfangs.

In mütterlich-fürsorglicher Art kümmerte sich Annemarie um die Familie ihres Bruders. Der Geschmack von Helgas damaliger Lieblingsspeise, die sie vortrefflich zubereitete, Nudeln mit Tomatensoße, würde ihr Leben lang ebenso wie der Puppenwagen und Doris zu Helgas schönsten Kindheitserinnerungen zählen.

Oft durfte Helga zur Wohnungsnachbarin gehen, um dort vom Fenster aus die Schiffe auf dem Rhein zu verfolgen. Stundenlang vertrieb sie sich damit die Zeit, und es war ihr liebster Zeitvertreib. Dass die Schiffe nicht untergingen, war für sie ein Wunder. Es beschäftigte sie unaufhörlich. Wie konnte es sein, dass dieses flüssige Etwas, welches sie trank, mit dem sie sich wusch, das zwischen ihren Fingern zerrann und „Wasser" genannt wurde, imstande war, schwer beladene Schiffe zu tragen?

Das unterschiedlich hohe oder tiefe, laute oder leise, langsame oder schnelle Tuckern der Dieselmotoren ließ Rückschlüsse auf Fahrtgeschwindigkeit und Richtung, auf die Größe des jeweiligen Frachtschiffes und auf das Gewicht der Ladung zu. Es war wie Musik in Helgas Ohren, Signale von Bewegung, Freiheit, Leben! So gerne träumte sie davon, wie es wäre, auf einem Frachter flussabwärts zum Meer und weiter zu fahren. Wie schön musste es sein, vom Fluss aus die Welt an sich vorüber ziehen zu lassen, dabei saubere Wäsche auf die Leinen zu hängen, die vom Fahrtwind getrocknet wurde!

Gegenüber dem Fenster, welches der kleinen Helga einen Ausblick auf das Schifferleben bot, hingen nebeneinander zwei identische Bilder über dem Sofa an der Wand. Sie stellten in loderndem Rot-Gelb-Orange das Fegefeuer dar, wo die armen Sünder mit verzweifelt um Hilfe winkenden Armen auf ihrem Weg zum Himmel schmoren und große Qualen erdulden mussten, bevor sie für das Paradies geläutert waren. In überquellendem Mitleid betrachtete Helga bei jedem Besuch diese Darstellungen ehrfurchtsvoll und in sich versunken. Sie war davon gebannt und schwor sich, ihr Leben lang ein braves Kind zu sein. Bei allem, was sie tat, würde sie dem lieben Gott eine Freude bereiten, damit sie nach ihrem Tod geradewegs in den Himmel kam!

Nach einem halben Jahr zog die Familie nach Bonn. Helgas Eltern mieteten in einem Jugendstilhaus, ähnlich dem Wohnhaus der Kölner Tante, eine möblierte Dreizimmerwohnung ohne Bad, mit Toilette auf dem Flur im Zwischengeschoss. Um Briketts und Eierkohle für die Befeuerung der Öfen und des Küchenherds zu holen, musste man in einen modrigen Keller steigen, eine Aufgabe, die Helga aufgetragen wurde und welche ihr große Angst vor dem schwarzen Mann einflößte und vor Ratten, die lautlos mit glitschigen Schwänzen über den Weg huschten. Das Kind benötigte für diesen Kellergang fast fünfzehn Minuten, weil es nach jedem Schritt inne hielt, den Kopf ständig hin und her drehend, auf der Hut vor Gefahr.

Michael hatte eine Anstellung als Abteilungsleiter einer kleinen Firma in Bonn gefunden, womit er jedoch den Lebensunterhalt der Familie nicht bestreiten konnte. Margit rang mit sich. Es stand außer Frage, dass sie Geld verdienen musste. Gäbe es Helga nicht, würde sie eine Bürotätigkeit suchen. Aber wohin dann mit dem Kind, wenn es aus dem Kindergarten oder der Schule heim käme? Michael gehörte nicht zu der Art Väter, welche sich um ihr Kind kümmerten, so viel war Margit klar. (Ganz abgesehen davon, dass er nicht ihr Vater war). Als beste Lösung erschien Margit, ein Geschäft zu eröffnen. Dann wäre sie für ihre Tochter immer erreichbar. Aufgrund ihrer kaufmännischen Ausbildung und mit einem promovierten Ehemann an ihrer Seite war Margit eine Geschäftsgründung möglich. Da die Universitätsstadt Bonn, die Margit vertraut war, eine Vielzahl von Studenten anzog, entschied Margit sich für ein Bürowarengeschäft. Im Übrigen mochte sie Papier. Wie oft hatte sie Paul beim Skizzieren zugesehen! Papier war ihr vertraut.

Sie beschloss, ihre kleine fünfjährige Tochter in ihre Geschäftsgründungspläne einzuweihen.

Helga wusste nicht recht, was sie davon halten sollte, als ihre Mutter eines Nachmittags einen Spaziergang vorschlug, auf dem sie ihr etwas zeigen wollte, und sie spürte Beklemmung. Dann, unterwegs, beim kleinen Entenweiher, der sich zwischen der Wohnung der Familie und dem Haus, in welchem die Geschäftsräume zu mieten waren, befand, eröffnete Margit das Gespräch und erzählte Helga von ihren Plänen.

Es kam Helga so vor, als fragte die Mutter sie um Erlaubnis, ein Geschäft eröffnen zu dürfen, und sie wunderte sich darüber. Lag da nicht eine Verwechslung vor?

Wie Mutter und Tochter auf ihrem Spaziergang nebeneinander hergingen, hielten sie sich an den Händen, Margit ging links von Helga und griff deren linke Hand, Helga umfasste Mutters rechte.

Es ist sonderbar, Mama, dass ich mich in dieser körperlichen Nähe zu dir nicht spürte. Ich weiß noch genau, wie ich in dem Ineinander unser beider Hände das Gefühl von Schutz und Geborgenheit, von Halt suchte - aber ich fand es nicht. Ein anderes Gefühl stellte sich stattdessen ein: deine Hand griff mich so, als wolltest du mich niemals mehr loslassen. Du hiel-

test mich fest, wie du dir vermutlich gewünscht hattest, deine Mutter dem Tod zu entreißen, du hieltest mich fest, als sei dein Kind ein Teil deines Lebens, den du, anders als alles Bisherige in deinem Leben, endlich kontrollieren konntest. Mama! Ich brauchte deinen Halt so sehr, aber doch nicht auf diese Weise!

8. Das erste Bad

Als Margit bald darauf ihr kleines Unternehmen gründete, kam Helga in den katholischen Kindergarten. Jeden Morgen auf dem Weg dorthin wäre das Kind am liebsten vor Angst im Erdboden versunken, denn es fürchtete sich vor den anderen Kindern. Es waren so viele! Von überall her fühlte Helga sich bedroht, auch wenn niemand ihr etwas zu Leide tat. Das kleine Mädchen konnte nicht anders, als sich zu verschließen, denn die Gruppe war ihr unheimlich: in der Gruppe zu sein bewirkte, dass sie sich schlecht und anders als die anderen Kinder fühlte und fest davon überzeugt war, dass man sie für ein böses Kind hielt.

Niemand ahnte das Unfassbare, dem Helga weiterhin ausgesetzt war: Einige Male im Jahr forderte Michael nachmittags in alkoholisiertem Zustand das Mädchen auf, als es vier, fünf, sechs, sieben Jahre alt war, sich zu ihm auf die Couch zu legen, wo er seinen Rausch auszuschlafen pflegte, und leitete das Mädchen zu Handlungen an, die seiner Selbstbefriedigung dienten.

Helga spaltete zwar weiterhin unbewusst die schlimmen Erlebnisse durch Vergessen aus dem Bewusstsein ab, aber durch die gefühlsmäßigen Auswirkungen dieser Erfahrungen, wie z.B. die grundsätzliche Scheu vor Menschen, blieb das Kind weiterhin in dem Missbrauchsgeschehen gefangen.

Mama, der Kindergarten war so schlimm für mich! Ich kam mir wie ausgestoßen vor und wusste nicht, warum! Meine Ängste im Kindergarten vor den anderen Kindern zu verstecken, beanspruchte meine ganze Aufmerksamkeit, so sehr, dass ich mich nicht aufs Spielen einlassen konnte!

Ebenso wie ihre Missbrauchserfahrungen vergaß Helga, als sie älter wurde, auch ihr Kindergartenleben. Sie vergaß die Kinder, sie vergaß Aussehen und Namen ihrer Kindergärtnerin, sie vergaß, welche Spiele gespielt wurden, welches Muster den Kleiderhaken zierte, an den sie tagtäglich ihre Jacke hing, welche Klettergerüste im Garten standen, die Lieder, die Bastelstunden...

Zu Hause verbrachte Helga viel Zeit damit, am Fenster zu stehen und den Kindern aus der Nachbarschaft sehnsüchtig beim Spielen im gegenüber liegenden Park zuzusehen. So sehr ihr einerseits die Kindergartengruppe Angst machte, so hatte sie andererseits das natürliche Bedürfnis nach dem freien Spiel mit Gleichaltrigen. Während sie am Fenster stand, zog sie manchmal verträumt mit dem Zeigefinger bahnenweise Risse in den brüchigen Gardinenstoff der möblierten Mietwohnung. Abends nach der Heimkehr vom Geschäft jammerte Margit über die Bescherung und war ungehalten. Helga verstummte, unfähig zu einer Erklärung, Verteidigung oder Entschuldigung. Dann kam ihr der „Vater" zu Hilfe und beschwichtigte seine Frau. Er verteidigte „das Kind", welches er traurig zu sehen nicht ertragen konnte, wie er sagte. Dies löste in Helga wiederum das Gefühl aus, beschützt zu werden. Die Tatsache, dass dieser Mann sie missbrauchte, war wie ausgelöscht, als seien der Missetäter einerseits und der Fürsprecher andererseits zwei verschiedene Personen!

Natürlich blieb Helgas Abneigung, in den Kindergarten zu gehen, Margit nicht verborgen, die immer wieder versuchte, ihrer Tochter die schönen Seiten des Spiels mit anderen Kindern schmackhaft zu machen. Sie hatte kein Verständnis für den Widerstand, den das Mädchen tagtäglich auf dem Weg dorthin leistete.

Da ihr Mann erneut arbeitslos geworden war, lag in den kommenden Jahren, bis Michael seine Rente erhalten würde, die Last, den Unterhalt für die Familie zu verdienen, alleine auf ihren Schultern. Die Schulden nahmen nicht von selber ab, Geld musste schließlich verdient werden. Dies kostete Margit alle Aufmerksamkeit und Kraft, genauer gesagt, überstieg es ihre Kräfte. Es blieb keine Aufmerksamkeit für Helga übrig und keine Kraft, ihr Kind zu schützen.

Noch etwas anderes hielt Margit davon ab, in ihrem Mann einen Kinderschänder zu erkennen: es war ihre Vorstellung davon, wie ein böser Mann zu sein hatte. Sie stellte sich einen bösen Mann ausschließlich laut und brutal vor, so, wie sie als Kind die Wutausbrüche ihres unberechenbaren Vaters als böse erfahren hatte. Dass auch das Heimliche, Stumme, Verschwiegene böse sein kann, kam ihr nicht in den Sinn.

Natürlicherweise übertrug sich zwischen Mutter und Kind die mütterliche Sicht auf Helga. Die Folge davon war, dass Helga in einer geteilten Welt lebte: sie sah ihre eigene Welt schön und glücklich, so, wie ihre Mutter sie sehen wollte, obwohl sie am eigenen Leib das Gegenteil erlebte.

Mit den Augen ihrer Mutter sah Helga in Michael einen „guten" Mann mit einem „weichen" Herzen und voller „Gutmütigkeit", Eigenschaften, die man an ihm im nüchternen Zustand durchaus erkennen konnte, die aber ebenso sehr die Unangreifbarkeit des „Unfassbaren" ausmachten, das er mit ihr im alkoholisierten Zustand trieb. Die Trunkenheit, die Flucht in Sucht und Bewusstlosigkeit, welche natürliche und rechtmäßige Grenzen wie die Unantastbarkeit der Würde eines Menschen und insbesondere eines anbefohlenen Kindes verschwimmen machen und aufweichen, erlebte Helga als die schwer fassbare und unangreifbare Brutalität des „sanften Alkoholikers".

So wiederholte sich vor Margits Augen ihr eigenes Missbrauchsschicksal. Unbewusst hatte sie alle Voraussetzungen dafür geschaffen.

Wie hatte sie im Krankenhaus, kurz nach der Entbindung geschworen: dieses Kind sollte gelingen!

Ach Mama! Dieses Kind empfand inzwischen eine große Lebensangst und erwartete vom Leben nur das Schlimmste. Es hatte das Gefühl, dass Liebe und Hingabe bedeuteten, sich aufzuopfern und Leid zu ertragen.

Mein natürliches Rechtsempfinden, was mich selber betraf, war ausgelöscht. Nie setzte ich mich zur Wehr, auch nicht im Erwachsenenalter, stets verschlug es mir die Sprache, wenn mir Unrecht widerfuhr, ja, ich konnte Unrecht mir gegenüber nicht einmal empfinden!

Oft machte Helga dem unerträglichen Druck Luft. Dies zeigte sich in unterschiedlichen hilflosen Versuchen, die Dinge wieder zu recht zu rücken, ihr Leben zu bereinigen, wie zum Beispiel durch folgende Rituale:

Nach dem Toilettengang rollte sie die halbe Papierrolle ab, um das Papier bahnenweise in die Toilettenschüssel zu werfen. Da der Spülkasten bis zur nächsten Füllung mehrere Minuten benötigte, dauerte diese Prozedur zehn bis fünfzehn Minuten, bis das Papier vollständig hinunter gespült war.

Eine andere Gewohnheit war, dass Helga aus einem tiefen Bedürfnis nach Ordnung und Klarheit, nach einem „reinen Tisch", von Zeit zu Zeit alle Buchhaltungsunterlagen, die Michael auf dem Wohnzimmertisch verstreut liegen ließ, unter dem Teppich des Wohnzimmers versteckte. Es war wie ein Drang, dem das Mädchen sich nicht entziehen konnte, und am liebsten hätte sie die Papiere zerrissen und verbrannt.

Eigenartigerweise wurde sie von den Eltern deswegen nie gescholten. Vielleicht ahnte Michael einen Zusammenhang mit seinem schändlichen Verhalten, welches er unter den Teppich kehrte, und Margit, die Ordnung liebende, empfand eine stille Sympathie.

Etwa ein Dreivierteljahr nach der Geschäftseröffnung, Helgas Einschulung lag gerade vier Wochen zurück, ertastete Margit einen Knoten in ihrer linken Brust. Der Arzt stellte fest, dass sie an Krebs im fortgeschrittenen Stadium erkrankt war.

Diese Nachricht war ein großer Schock. Offenbar war es ihr und ihrem Mann nicht vergönnt, ein normales bürgerliches Leben aufzubauen und ein ausreichendes Einkommen zu sichern.

Die Frau Anfang vierzig durchlitt Todesängste. "Es kann nicht Gottes Wille sein", hielt sie sich vor Augen, „dass er einem kleinen Mädchen die Mutter wegnimmt." Dies sagte sie sich immer wieder. Es durfte nicht sein, dass ihre Tochter dasselbe Schicksal erleiden sollte wie sie, als sie ihre Mutter frühzeitig verlor! Ihr Kind war doch erst sechs Jahre alt!

Margit hatte veranlasst, dass Helga bei der Leiterin des Kindergartens für die Dauer ihres Krankenhausaufenthaltes wohnen konnte. Sie wollte Michael nicht zumuten, sich um das Kind zu kümmern, sagte sie. Vielleicht ahnte sie inzwischen die Gefahr, die er für ihre Tochter darstellte.

Ja, Mama, ich erinnere mich sehr deutlich an den Raubtierblick deines Mannes, mit dem er mich, als wäge er eine Gefahr ab, abschätzend betrachtete. Zum ersten Mal nahm ich einen Zweifel in seinem Blick wahr, ob ich dir etwas von seinen

Übergriffen erzählt hatte oder gar der Kindergärtnerin davon erzählen würde. Aber er und ich, wir waren ein eingespieltes Team, denn ich war auf eine fatale, kranke Weise an ihn gebunden, als müsste ich etwas ausgleichen: Du musst bedenken, Mama, dass du mit mir ein Geheimnis vor ihm hattest, nämlich, dass er nicht mein Vater war und dass er andererseits ein Geheimnis mit mir vor dir hatte, nämlich, dass er mich missbrauchte. Ich war Prellbock zwischen euch beiden, ohne dass ich irgendetwas verstanden hätte, und von diesem Platz gab es kein Entrinnen.

So kam es, dass Helga während des Krankenhausaufenthaltes ihrer Mutter nach der Schule wieder in den Kindergarten ging, wo sie gemeinsam mit den Kindergärtnerinnen zu Mittag aß. Sie verbrachte die Nachmittage dort, half beim Aufräumen der Gruppenräume und beim Vorbereiten des kommenden Tages, spülte Geschirr. Nachts schlief sie mit der Kindergartenleiterin gemeinsam in ihrem Doppelbett.

In der zweiten Nacht musste Helga sich erbrechen. Wie schämte sie sich deswegen! Während sie sich mitten in der Nacht zusammen mit ihrer verärgerten Gastgeberin daran machte, die Daunensteppdecke vom Erbrochenen zu reinigen und den Boden aufzuwischen, schluchzte und wimmerte sie vor Kummer und Sehnsucht nach ihrer Mutter.

Am Morgen brachte die Kindergartenleiterin Helga zu Margit ins Krankenhaus. Die Stationsschwestern, Ordensfrauen eines katholischen Sanatoriums, nahmen sich des Mädchens an, und die Stationsleiterin entschied, sie zu baden und danach zur Mutter ins Bett zu legen. Zum ersten Mal in ihrem Leben badete Helga in einer Badewanne. Sie jauchzte und planschte im schaumigen Badewasser. Berührt von ihrer Freude eilten die anderen Schwestern herbei, bis vier, fünf Ordensfrauen im weißen Gewand um die in der Mitte des Baderaums aufgestellte Wanne standen und sich von der Begeisterung des Kindes anstecken ließen. Dann wurde das Mädchen abgetrocknet. Es erhielt ein Nachthemd des Krankenhauses übergezogen und ein gelbes Bettjäckchen der Mutter umgelegt. Anschließend durfte Helga zur Mutter ins Bett, an die sie sich behaglich anschmiegte und erschöpft einschlief.

Ein Jahr nach Margits Krebsoperation stellte sich die nächste Herausforderung in Form einer Kinderlähmungsepidemie ein, von der Bonn in jenen Tagen heimgesucht wurde. Helga hatte sich mit dem Erreger infiziert und lag mit hohem Fieber im Bett, unfähig, aufzustehen, denn die Beine versagten ihr. Jede freie Minute saß Margit am Bett ihres Kindes, tagelang, voller Verzweiflung. Sie war fassungslos. Es konnte nicht sein, dass sie ihre Krebsoperation überstanden haben sollte, um ihr Kind an diese heimtückische Krankheit zu verlieren! Sie schickte Stoßgebete zum Himmel und bot ihr eigenes Leben zum Tausch. Die Vorstellung, ein gelähmtes Kind zu haben, erschien ihr schlimmer als der eigene Tod.

Helga spürte eine Kraft von der Mutter strömen, die sie in

ihrem Kampf gegen die Lähmung stärkte. Der Kampf währte drei lange Tage. Dann hatte der Kinderkörper die Krankheit überwunden. Eine Spielkameradin, die sich gleichzeitig mit ihr angesteckt hatte, blieb gelähmt.

Jahre später, in der dritten und vierten Volksschulklasse, holte Helga jeden Morgen eine an Kinderlähmung erkrankte Klassenkameradin ab, trug ihren Ranzen und begleitete sie, die mit ihrem geschienten Bein und zwei Krücken nur langsam vorwärts kam, geduldig zur Schule.

Ich tat es nicht freiwillig, Mama, ich tat es dir zuliebe. Du hast, einem Aufruf der Klassenlehrerin folgend, mich darum gebeten.

Du hattest nicht die geringste Ahnung davon, in welcher Not ich mich befand!

Mein Missbrauchsschicksal war nicht so offensichtlich wie eine Kinderlähmung, noch dazu musste ich mich glücklich schätzen, selber diese heimtückische Krankheit überwunden zu haben!

9. Der seidene Faden zwischen Vater und Kind

Niemand wusste von dem Gelübde, welches Margit im Krankenhaus vor ihrer Krebsoperation abgelegt hatte: sie hatte sich geschworen, sollte sie überleben, Paul die gemeinsame Tochter Helga zu zeigen. Ob sie ihm die Wahrheit würde sagen können, darüber war sie im Zweifel. Aber wenn Paul sie fragte, würde sie ihn nicht belügen.

Nun war sie dem Tod entkommen, und ihre Tochter der Kinderlähmung, so dass Margit im Frühjahr 1961, bald nachdem Helga ihren siebten Geburtstag begangen hatte, ihr Gelöbnis wahr machen wollte. Keinesfalls jedoch durfte Michael von dem geplanten Treffen seiner Frau mit Paul erfahren! Sie verabredete sich mit Paul, der von Magdeburg aus zu Verwandten nach Köln fuhr, in einem Café in der Nähe des Doms. Um an jenem Sonntag von ihrem Mann „frei" zu bekommen, hatte Margit einen Besuch bei einer Freundin in Düsseldorf geplant, wohin sie ihr Kind mitnehmen konnte. Auf dem Weg dorthin würden sie und Helga in Köln einen Zwischenstopp einlegen können. Wie sehr Helga sich auf diese Fahrt mit ihrer Mama freute! Sie würde die Mutter für sich allein haben! Sie musste sie nicht teilen, weder mit dem „Vater", noch mit dem Geschäft oder mit einer furchtbaren Krankheit, die Krebs hieß.

Es war Sonntag, früh am Morgen. Für die kurze Reise hatte Margit ihre Tochter über die Maßen herausgeputzt. Beim Einfahren der schwarzen Dampflokomotive suchte das Mädchen verängstigt Schutz im Mantel der Mutter. Doch dann, im Zug, machte Helga die Eisenbahnfahrt Spaß. Margits Gedanken schweiften fortwährend ab zu Paul, und sie malte sich das bevor stehende Wiedersehen mit ihm aus. An ihre Freundin in Düsseldorf dachte sie nicht. Sie konnte es kaum erwarten, Paul wieder zu sehen. Dass sie ihn erst am Nachmittag, auf der Rückfahrt von Düsseldorf sehen würde, erschien ihr noch lange hin.

Ob er bereits in Köln war? Wie er wohl aussehen würde? Er befand sich in seinem siebenundachtzigsten Lebensjahr. Rüstig war er offensichtlich, sonst würde er keine weite Reise mehr auf sich nehmen. Wenn nur sein Herz kräftig blieb! Hin und wieder litt Paul unter Herzschwäche, wie er Margit in seinen Briefen wissen ließ. Regelmäßig zum neuen Jahr und zum Geburtstag erhielt sie Post von ihm, einen Brief und ein Bild.

Ein Lächeln spielte um Margits Lippen, als in ihrer Erinnerung Pauls „Gnädiges Fräulein" in ihren Ohren wieder erklang. Nie hatte Künstler den Wohlklang seines Berliner Tonfalls verloren.

Paul schaute aus dem Fenster, während der Zug die Zonengrenze hinter sich ließ. Der Zug rollte immer wieder durch kleine Regenschauer. Ihm fiel immer wieder auf, dass ihm der Westen trotz des grauen Himmels farbenfroher als die DDR-Heimat vorkam. Die Menschen trugen buntere Kleidung, und es gab weniger graue und kaum noch verfallene Häuser.

Obwohl er sich rüstig fühlte und gesund war, war er unerklärlicherweise unruhig, als spürte er sein Ende nahen. Umso mehr freute er sich, dass er Margit noch einmal wieder sehen würde. Vor acht Jahren hatte sie ihn besucht, um ihn von ihrer bevorstehenden Hochzeit mit Michael zu unterrichten, und dann, nun ja…er lächelte, schloss die Augen und gab sich seinen Tagträumen hin.

Er sah die attraktive junge Frau Anfang zwanzig, wie sie 1943, während des Kriegs, nach Magdeburg gekommen war, verstört und hilflos, im grauen Mantel, dessen Revers eine Brosche schmückte - Margit war eine unverkennbar elegante und stilvolle Frau gewesen, selbst in Notzeiten. Ob sie auch heute noch Wert auf ihr Äußeres legte?

Der alte Mann sah sie wie in einem Film im roten Kleid tanzen, er erinnerte sich an ihr lilafarbenes Kostüm, in welchem sie am ersten Tag zur Arbeit in seinem Büro erschienen war, als er während des Krieges zum vorübergehenden Schulleiter beordert worden war. Ihm fiel ihre typische Kopfbewegung ein, wenn sie stenographierte - wie sie den Kopf hob, um sein Diktat besser zu verstehen und dann wieder senkte, um sich auf die Zeichen zu konzentrieren. Es war ihm aufgefallen, wie fest sie den Stift hielt, während ihre Schrift fast über dem Papier zu schweben schien, als schraffierte sie. Ihre Stimme hörte er wieder, lebendig, temperamentvoll, witzig, neugierig, auch unentschlossen, abwehrend und sorgenvoll - so hatte sie zu ihm gesprochen auf vielen gemeinsamen Spaziergängen über den großen Friedhof, vorbei an der gotischen Kirche, von welcher er ihr ein Aquarell geschenkt hatte. Ob sie seinem Bild an einem ihrer Wohnungswände einen gebührenden Platz eingeräumt hatte? Er lächelte in sich hinein, ein Lächeln, das von weit her kam. Der Künstler wusste zu gut, dass seine große Zeit lange zurück lag. Damals, um die Jahrhundertwende, als er in verschiedenen Künstlerkolonien lebte und arbeitete, war er auf dem Höhepunkt seines Schaffens gewesen.

Es war so lange her!

Jetzt war er auf dem Weg zur Familie eines seiner erwachsenen Enkelkinder. Von Köln aus würde er mit der Familie an die Nordsee fahren, um dort zu malen. Um diese Jahreszeit waren die Lichtverhältnisse günstig, vorausgesetzt, es herrschte freundliches Wetter. Es durften durchaus ein paar Wolken am Himmel sein, wenn sie nicht die einfallende Frühlingssonne verdunkelten. Erinnerungen an seine Begegnung mit berühmten Künstlerkollegen vor mehr als fünfzig Jahren stiegen in ihm auf. Von den meisten hatte er die Spur verloren, viele hatte der Krieg zerstreut.

Aber vorher würde er Margit und ihre kleine Tochter treffen! Pauls Pulsschlag stieg. Damals hatte er das Gefühl gehabt, er sei der Vater des Mädchens, trotz Margits Erklärungen, dass Helga ein Achtmonatskind sei. Er lächelte fein, nachsichtig mit sich selbst. Da war wohl der Wunsch Vater des Gedankens gewesen.

Der Zug fuhr in einen Bahnhof ein. Es war die erste Station auf westdeutschem Gebiet. Einige ostdeutsche Reisende stie-

gen aus, und Paul verfolgte durchs Fenster bewegende Begrü-
ßungen. Seine künstlerisch geschulte Wahrnehmung ließ ihn
aus dem Gesicht eines Menschen zutreffende Rückschlüsse auf
dessen Charakter ziehen. Zuvorkommend lud Paul eine Mitrei-
sende ein, bei ihm Platz zu nehmen, als er ihren umher schwei-
fenden Blick bemerkte. Schnell kamen beide ins Gespräch, und
die Zeit verging schnell.

In einem Café in der Nähe des Kölner Doms sitzt Paul an
einem Vierertisch und wartet, die Eingangstür im Blick. Es ist
Sonntagnachmittag, und es herrscht viel Betrieb. Mit ein wenig
Glück hat Paul einen freien Tisch gefunden. Etwas zusammen
gesunken wirkt er auf der gepolsterten Sitzbank mit den hohen
Rückenlehnen, deren taubenblaue Farbtöne fein abgestimmt
sind mit dem leicht gemusterten grau-grünen Teppichboden.
Der weiße Kunststoff beschichtete Tisch ist in der Wand ver-
ankert. Paul fährt tastend darüber und spürt den Unterschied zu
ostdeutschem Material. Seine Sinne sind auch im Alter noch
überdurchschnittlich fein, ob es sich um das Tasten, Sehen,
Hören oder Schmecken handelt. Die Dreidimensionalität der
Welt ist für ihn von Geburt an farbiger und tiefer wahrnehmbar
als für die meisten.

Aufgeregt und voller Vorfreude schaut er unablässig aus
dem Fenster. Da sieht er plötzlich Margit das Café betreten. Ihr
enger Rock lässt ihre Beine länger wirken. An der Hand hält
sie ein Kind, welches Paul sofort in die Augen blickt, als würde
es nur ihn sehen. Paul stockt der Atem. Seine Vorfreude ge-

friert, ohne dass er weiß, warum. Für einen Augenblick fühlt er sich orientierungslos. Dann erhebt er sich schnell, um sich Margit zu zeigen, doch ihm schwindelt, und er muss sich am Tisch festhalten. Inzwischen hat die Frau ihn entdeckt und nähert sich ihm in einem leichten Anflug aufgesetzter Koketterie. Dann stehen sie voreinander, ein kurzer wortloser, bewegter Blickwechsel, Verwirrung, Freude, Ungläubigkeit, Glück, Verhaltenheit, Aufregung - gemischte Gefühle wägen sich gegenseitig ab, dann ein Handkuss, eine Verbeugung. Sie sprechen sich nicht an, vermeiden ein „Du", vermeiden ein „Sie". Helga schaut mit großen Augen zu. Sie trägt das blonde Haar auf dem Haupt zu einem Schopf gebunden.

Dann nehmen Mutter und Kind auf der Sitzbank gegenüber von Paul Platz.

Margit fühlt sich unter Druck. Sie zieht ihre Handschuhe aus, während belanglose Floskeln über ihre Lippen kommen und legt sie vor sich auf den Tisch, von Paul aufmerksam beobachtet. Den weinroten Hut passend zum beigen Sommerkostüm behält sie auf. Warum fühlt sie sich nicht wohl? Warum lächelt sie trotzdem? Warum ist es so anders als sie es sich vorgestellt hat?

Plötzlich spürt Paul einen Stich im Herzen, und sein Atem geht flach. Margit merkt auf. Paul lenkt von sich ab und winkt die Kellnerin herbei.

Margit, die um den knappen DM-Barbestand eines DDR-Rentners auf einer Reise in den Westen weiß, bedeutet dem ehemaligen Liebsten, dass sie ihn gerne einladen möchte. Dann stellt sie Paul und Helga einander vor.

Das ist Helga, sagt sie zu Paul. Das ist Professor Ziehlke, sagt sie zu Helga und will fortfahren, dass Paul aus Magdeburg stammt, dort, woher die Spielsachen kommen, die Margit von ihrer Freundin Elvira zum Ausgleich für ihre westdeutschen Päckchen mit Kaffee und Schokolade und Hautcreme erhält. Aber im letzten Moment fällt ihr ein, dass Helga dieses Spielzeug nicht mag, so sehr sie es ihrem Kind bisher auch schmackhaft zu machen versuchte. Also erwähnt sie Magdeburg lieber nicht.

Helga schaut den Mann mit ihren großen brauen Augen aufmerksam an. Sie hält ihre Puppe Doris im Arm. Paul blickt aufmerksam zurück. Er hat das Gefühl, als blickte er in seine eigene Seele. Dem Kind wird warm. Dann schaut es weg. Es kennt dieses Gefühl von Wärme nicht, in dem es sich so wohl und so ganz und so gut fühlt. Es schaut weg aus einer unbewussten Angst davor, dass ihm dieses Gefühl genommen werden könnte. Und dann geht der Blick der kleinen Helga erneut zu dem fremden Mann, weil von ihm diese Wärme kommt. Aber wieder wendet das Mädchen sich gleich darauf ab, weil es wiederum Angst hat, der Fremde könnte ihr die Wärme wegnehmen.

Während dieser Sekunden hat Margit das Gefühl, als schiebe sich eine unsichtbare Wand aus dicht komprimierter Kaltluft zwischen sie und Paul. Sie kommt sich plötzlich abgeschnitten vor, und Helga scheint ganz weit weg von ihr. Das macht sie nervös und angespannt. Sie schlägt die Beine übereinander und wippt mit dem aufliegenden Bein.

Paul weiß nicht wie ihm geschieht. Alle seine Gefühle scheinen in Aufruhr. Sein Herz pocht heftig und lebendig: dies ist sein Kind!

Jetzt ist die Kellnerin gekommen und nimmt Margits Bestellung entgegen. Helga bittet die Mutter um einen Stift und Papier, weil sie malen will. Paul freut sich darüber, aber Margit ist irritiert. Warum kann Helga nicht einfach nur still und brav da sitzen. Da zaubert der Mann Papier und Stifte aus seiner Tasche hervor und reicht sie dem Kind. Helga lächelt ihn verlegen an.

Margit fragt Paul: Wie geht es Ihnen?

Da ist es, das „Sie". In Helgas Gegenwart hört es sich noch fremder an, als es ohnehin klingt. Deshalb fügt sie schnell weitere Fragen an:

Was macht das Herz? Was macht die Kunst? Und die Töchter und Söhne und Enkel und das Urenkelkind? Zum wievielten Mal sind Sie jetzt im Westen?

Sie sieht mitgenommen aus, denkt Paul. In Gedanken sieht er Margit unbekleidet vor sich, diesen jungen, leidenschaftlichen Körper, von dem er noch bis vor wenigen Jahren Skizzen angefertigt und wieder weggeworfen hat. Jetzt fehlt eine Brust, die linke Brust. Es schmerzt ihn.

Er wirkt durch und durch ernst. Margit wundert sich, warum

der elegante Schwung, der früher zwischen ihr und Paul so leicht und kraftvoll hin und her floss, verschwunden ist. Es wird am Alter liegen, sagt sie sich. Paul ist alt und baut ab.

Sind Sie gut über die Operation hinweg gekommen? Es war keine Zeit für Erholungsurlaub? Wie läuft das Bürowarengeschäft? Wie ist das Sortiment? Papier aller Art? Und Farben? Auch Federn? Tuschefedern und Linolbesteck? Malt das Kind gerne?

Margit ist erleichtert, dass Paul sie nicht fragt, ob Helga sein Kind ist. Besser so.

Paul fragt Margit nicht, weil er es mit seinem Herzen weiß. Er muss nicht mit Margit darüber sprechen. Sie hat darüber geschwiegen, er wird auch darüber schweigen. Es ist zu spät, sagt er sich, was sollte er für das Kind tun können? Sein Leben neigt sich dem Ende zu.

Auch wenn Paul kein kirchengläubiger Mensch ist, so ahnt er, dass es nach dem irdischen Leben in einer anderen Lebensform weiter geht. Wer weiß, vielleicht wird er in einem Jenseits die Möglichkeit haben, mit seinem Kind in Kontakt zu treten, es zu schützen, womöglich. Denn die kleine Helga macht auf ihn den Eindruck, schutzbedürftig zu sein.

Ist er Margit böse? Nein, weil sie jetzt da ist, weil sie letztendlich doch mit ihrem Kind, mit ihrem gemeinsamen Kind, gekommen ist.

Sie braucht nichts zu erklären, er versteht sie. Er erkennt an, dass sie gut für das Kind sorgt. Obwohl - das Kind wirkt belastet.

Paul wendet sich an Helga und erkundigt sich, was sie malt. Es ist ein Haus mit Gittern und Blumen vor den Fenstern. Paul will es sich näher erläutern lassen und fragt nach, aber das Mädchen ist plötzlich abweisend und verschlossen.

Margit lenkt ab und erzählt von Helgas guten Schulnoten. Und davon, dass sie nächstes Jahr zur Erstkommunion gehen wird. Und Blockflöte spielt.

Paul versucht erneut, mit seinem Kind ins Gespräch zu kommen. Aber es bleibt stumm.

Der Mann hat Lebenserfahrung und Menschenkenntnis genug, um zu verstehen, dass Helga ihm gerade durch ihr Schweigen etwas sagen will, aber er weiß nicht, was. Er ahnt, dass es etwas Schlimmes sein muss. Doch ist er realistisch und weiß, dass er das Vergangene weder erfahren noch Zukünftiges verhindern können wird. Das schmerzt ihn.

Es bleibt ihm nichts anderes übrig, als das Schweigen des Mädchens mit der Kraft seines Mitgefühls zu respektieren.

Und Helga macht die neue Erfahrung, sich ohne Worte verstanden zu fühlen, ein Gefühl, welches sich unmerklich wie ein seidener Faden zwischen Vater und Tochter spinnt.

Als Margit und Paul sich beim Abschied ein letztes Mal in die Augen sehen, fehlt die Liebe.

Es ist so lange her, sagt Margit verlegen und verwirrt. Es klingt wie eine Entschuldigung.

Der alte Mann nickt, höflich und freundlich. Er verabschiedet sich mit einem Handkuss von Margit und fährt ein paar Mal liebevoll über Helgas Haupt.

Er bleibt noch im Café zurück, denn er muss nicht zum Zug. Er sieht den beiden nach, und sein Blick trifft noch mehrmals in Helgas Augen, die sich immer wieder nach ihm umdrehen muss, als hätte sie etwas vergessen und weiß nicht, was. Margit, die sich nicht mehr umdreht, zieht das Kind mit sich fort.

Paul bleibt zurück. Er atmet schwer, und Tränen benetzen seine Augen.

Auf dem Weg zum Bahnhof wirkt Margit auf ihre Tochter ein, „dem Papa" nichts von dieser Begegnung zu erzählen. Sie solle den Mann im Café einfach wieder vergessen, gibt die Mutter vor.

Was Helga befolgt.

Wenige Monate später starb Paul an einer Lungenentzündung.

10. Es kann nicht sein

Bald zog die Familie in eine Zweizimmerwohnung mit Balkon in einem Neubau um.

Seit Wochen hatte Margit mit ihrer kleinen Tochter im Möbelgeschäft Schränke, Tische und Sitzgelegenheit für Wohnzimmer und Küche ausgewählt. Es waren die ersten Möbel, die Margit seit ihrer Hochzeit kaufte. Helga kam es wie ein Fest vor. Die Frau folgte in Einrichtungsfragen der Meinung ihrer kleinen Tochter, denn das Mädchen besaß ein natürliches ästhetisches Empfinden und einen stilsicheren Geschmack. Wie wichtig Helga sich fühlte!

Das Kind mochte die neue Wohnung sehr. Am liebsten hielt es sich in der Küche auf. Sauber und glatt poliert blitzte die Arbeitsfläche! So gerne malte Helga mit ihren kleinen Fingern unsichtbare Muster darauf, zog Kreise und Striche, dabei im Selbstgespräch mit ihren Phantasiefiguren vertieft, und der Kontakt mit dem versiegelten Holz war wie eine sinnliche Offenbarung für sie. Das Mädchen fand Gefallen daran, sich bei günstigem Lichteinfall darin zu spiegeln. Auch mochte es das reinliche Aroma des blauen Kunstleders, mit dem die Eckbank bezogen war. Helga machte sich ein Spiel daraus, die Sitzbank mit Stauraum, in welchem die Mutter Kochbücher mit traditionellen deutschen Rezepten aufbewahrte, immer wieder auf- und zuzuklappen. Der neuartige Geruch von Chemie stieg aus dem behandelten Holz auf, Ausdruck ungeahnten Fortschritts.

Es war, als würden die neuen Möbel, Zeitzeugen des deutschen Wirtschaftswunders, auch das Kind selber veredeln. Vielleicht war es dieses Gefühl des Neuen, wie eines Neuanfangs, das die Küche ausstrahlte und welches das Mädchen ermutigte, eines Abends ihrer Mutter von dem Schlimmen zu erzählen.

Helga nahm Anlauf. Aber sie wusste nicht, wie sie es anstellen sollte.

Margit war Gedanken versunken mit dem Zubereiten des Abendessens beschäftigt. Im Wohnzimmer nebenan hörte der „Vater" Radio und zog dabei genüsslich an seiner Zigarre. Helga empfand das sonderbare Gefühl, sie und ihre Mutter wären in der Küche zu dritt. Vielleicht mag es daran gelegen haben, dass sie sich wie zwei Personen vorkam, eine, die Margits Vorstellung von ihr entsprach und eine andere, der widerfahren war, was Margit sich nicht im Geringsten vorstellen wollte. Vielleicht war auch tatsächlich die Energie einer dritten Person im Raum?

Die Wortwahl fiel dem Kind schwer, denn in der Sprache einer Siebenjährigen gibt es keinen Begriff für Sexualität, keinen für Übergriff, keinen für Missbrauch. Helga druckste herum, sie stotterte. Es fiel ihrer Mutter nicht auf. Das Mädchen machte mehrere Anläufe, brach ab, holte Luft, atmete wortlos wieder aus, doch Margit entging die Not ihres Kindes.

Es musste Helga schließlich gelungen sein, Margit mit einem Stammeln, welches endlich aus ihr hervor brach, eine Botschaft zu übermitteln, denn Margit hielt im Brotschneiden inne, und für einen kurzen Moment schaute sie Helga erschrocken an, so, als fühlte sie sich ertappt. Argwöhnisch, mit Furcht in den Augen sah sie auf ihr Kind. Doch dann schweifte ihr Blick schnell ab, und sie sagte, Kopf schüttelnd an sich selbst gerichtet: „Es kann nicht sein".

Sie glaubte ihrer Tochter nicht.

Verlegen und um einen strengen Tonfall bemüht wies sie ihr Kind wegen seiner ungezügelten Phantasie zurecht, die um Dinge kreiste, für die es noch zu klein war.

Durch dein Verhalten, Mama, hast du den Kontakt zwischen uns abgebrochen. Eigenmächtig. Für immer. Denn du bist nicht mehr zurück gekommen zu mir als deinem Kind. Du hast dein Mutter-Sein verwirkt.

Mein grenzenloses Leid - grenzenlos wird ein Kind gemacht, wenn es missbraucht wird - war dir weniger wert als deine Angst vor den Konsequenzen, die sich stellten, wenn du der Wahrheit ins Gesicht gesehen hättest: Du hättest deinen Mann verlassen müssen, vielleicht auch das Geschäft verkaufen und als Angestellte arbeiten. Vermutlich hätte es für eine Einzimmerwohnung für uns beide gereicht, die mir Schutz gewährt hätte. Meine Mama steht zu mir! Ich wäre zwar nach der Schule nachmittags in der Wohnung alleine gewesen, aber ohne die gewohnte Gesellschaft deines Mannes!

Nein, Mama, aus deinem Lebenskonstrukt für mich, welches mit dem Vaterbetrug begann, konntest du nicht einfach aus-

scheren. Du hattest mit dem falschen Vater meine Wahrheit so
grundlegend verzerrt, dass du offenbar nicht mehr imstande
warst, dein wahres Kind zu erkennen.

Margit hätte gut daran getan, ihrer Tochter genau zuzuhören.
Nicht nur, weil dann eine schwere Last und ein unerträgliches
Schuldgefühl von ihrem Kind genommen worden wären, sondern auch, weil dadurch weiteres Schlimme vermutlich hätte
verhindert werden können.

Aber sie war nicht imstande, der Wahrheit ins Gesicht zu
sehen und ihre verhängnisvolle Selbsttäuschung zu erkennen.
Deshalb blieb Helga im Unrecht gefangen, und ihr Schicksal
nahm weiter seinen Lauf.

Zum Kreis von Michaels Trinkbrüdern gehörte ein Priester,
der hin und wieder abends bei Michael und Margit unange-
meldet als Überraschungsgast erschien. Er brachte gerne die
neueste Schallplatte mit, trank mit Michael ein Bierchen, auch
Schnaps, und ließ sich nicht davon abhalten, bei flotter Musik
zu twisten. Welche Leichtigkeit umwehte ihn! Wie leuchteten
Margits Augen! Sie schwärmte für den Kaplan, das war unverkennbar. Wie gerne hätte Margit mit ihm getanzt, das sah Helga ihr an, wie sehr hielt sie sich zurück, damit ihr Mann nicht
merkte, dass er ihr Bedürfnis nach Lust und Leben nicht stillte.

Eines Nachmittags kam Michael mit seinem geistlichen
Freund von einer Kneipentour nach Hause und setzte sich mit
ihm im Wohnzimmer auf ein Gläschen Schnaps zusammen.

Helga spielte im Schlafzimmer mit ihren Puppen. In diesem Raum befanden sich das Ehebett sowie Helgas Klappbett, daneben ihre Puppenmöbel mit Puppen und Teddybär. An der Wand über ihrem Bett hingen Märchenfiguren aus Holz, die ein Bekannter Michaels für die Kleine geschnitzt hatte.

Plötzlich kam der Priester ins Schlafzimmer, ging auf Helga zu, legte seine Hände auf ihre Schultern und fragte sie, ob sie nicht mit ihm ein bisschen lieb sein wollte.

Geprägt von den Erfahrungen mit ihrem Stiefvater erstarrte Helga und verfiel bei der Berührung des Mannes augenblicklich in Willenlosigkeit. Aber vielleicht würde es mit diesem Mann nicht so schlimm sein, denn er war jung, und ihre Mutter schwärmte für ihn.

Da führte der Geistliche das Kind auf das Ehebett, zog den Schlüpfer aus, schob das Röckchen hoch, legte sich auf sie mit entrücktem, leerem Blick. Um den Schmerz nicht zu spüren, gab Helga sich wie in Trance Gefühlen von Erhabenheit, Stolz, Hochmut und Größenwahn hin, die sie für Liebe hielt, während sie mit fast nach hinten überstrecktem Kopf, „Hals über Kopf", am Fußende des Ehebetts aus den Augenwinkeln schielend, sich die Teppichmuster der Bettumrandung und die Maserung des Schlafzimmerschranks einprägte.

„Wenn du groß bist, dann heirate ich dich", versprach der Mann dem kleinen Mädchen.

Dies geschah drei- oder viermal nachmittags, während Michael auf der Couch im Wohnzimmer seinen Rausch ausschlief.

Einmal stieß er schlaftrunken auf dem Weg von der Toilette zu dem Geschehen dazu und lallte: „Was ist denn hier los?", bevor er sich unverrichteter Dinge wieder davon trollte.

Bald gab der Missetäter seinen Priesterberuf auf und heiratete. Er studierte Pädagogik. Seine Frau nahm sich Jahre später das Leben.

Du hast mich geopfert, Mama!

11. Eine Zuflucht

Wenn es vorkam, dass Michael, der im Jahr 1896 das Licht der Welt erblickte, mit Helga gemeinsam in der Öffentlichkeit auftrat, schämte sich Helga, zum Beispiel bei den Elternabenden in ihrem Mädchengymnasium. Es war ihr peinlich, von ihren Klassenkameradinnen mit Michael gesehen zu werden, denn sie konnte es sich nicht anders vorstellen, als dass ihre Mitschülerinnen sich von dem seit dem ersten Weltkrieg leicht hinkenden alten Mann und seinem „Bierbauch" abgestoßen fühlen müssten.

Eine Scham anderer Art war das Gefühl, wenn Michael jedes Jahr nach dem Dreikönigstag im Januar eines jeden Jahres mit Helga, als sie acht, neun, zehn und elf Jahre alt war, in der Bonner Heimat Kirche um Kirche besuchte, um dort die Krippen anzuschauen. Dieser Brauch entstammte seiner eigenen Kindheit, und Helga mochte diesen Brauch. Es war das einzige, was der Mann, den Helga für ihren Vater hielt, mit ihr unternahm. Jedes Mal erwartete sie in diesen Ausflügen die Freiheit, einmal mit ihm, bei ihm Kind sein zu dürfen, so dass alles wieder gut war. Doch weit gefehlt: Auf diesen Krippengängen kam Helga sich an Michaels Seite vor, als wäre sie seine Frau. Es war ihr äußerst unbehaglich zumute, wie ihr „Vater" anderen Frauen nachsah oder ihren Blicken auswich oder sie erwiderte. Es beunruhigte sie zutiefst und verwirrte sie. Sie hatte das Gefühl, ihn vor gefährlichen Frauen, die wie Fremdkörper ihre

Einheit mit dem „Vater" bedrohten, beschützen zu müssen.

Geschah es, dass ein Bettler am Weg saß, konnten weder Michael noch Helga vorüber gehen, ohne ihm nicht eine Münze in seinen Hut gelegt zu haben. Es kostete Helga Überwindung, den Armen anzublicken, empfand sie sich doch angesichts solcher Armut schuldig, weil es ihr so viel besser als diesem Bedürftigen ging.

Wenn Michael und Helga die Kirche betraten, wurden sie vom geheimnisvollen Halbdunkel empfangen, das die beiden in dieser Halle zu besonders Auserwählten zu verwandeln schien. Ins Weihwasserbecken tunkten sie ihre Fingerspitzen, um sich zu bekreuzigen. Das Wasser roch salzig, und die brennenden Kerzen an den Opferstöcken flackerten, unruhig bei Luftzug und majestätisch ruhig bei Stille. Die Krippen waren beleuchtet, ohne dass man Geld einwerfen musste, und nur wenige Krippen befanden sich hinter Glas. Wie die heiligen Figuren das Kind faszinierten! Die Hirten waren bereits im Abzug, jetzt war die Stunde der Heiligen drei Könige, die mit ihren Kamelen, Bediensteten und Geschenken in all ihrer Pracht vor dem Stall knieten. Das Mädchen fühlte sich dem Geschehen so nahe, als sei es Teil davon. Es zog Helga in diese Welt hinein, die allem Elend ein Ende machte. Sie spürte sich im Kontakt mit Ochs und Esel, welche so unscheinbar zu großer Bedeutung auserkoren waren und stand mit Maria und Josef vor dem himmlischen Retter.

Ein anderer Anlass, mit Michael unterwegs zu sein, war für

das Mädchen der Weg vom Wirtshaus nach Hause, wenn Helga auf Geheiß ihrer Mutter den betrunkenen Mann in der Kneipe abholen musste. Beim Betreten des Gasthauses wurde sie von den Wirtsleuten mit einem Blick aus Mitleid und Geschäftstüchtigkeit und gespielter Herzlichkeit begrüßt, mit guter Miene zum bösen Spiel. Dann musste sie sich neben ihren „Vater" an den Stammtisch setzen, zu Männern mit aufgedunsenen Gesichtern, die Wangen voller Besenreiser und von Schnaps geröteten Nasenspitzen und bei einem Glas Apfelsaft geduldig das Ende der Skatrunde abwarten. Die Zeit vertrieb sie sich, indem sie mit Michaels Kugelschreiber auf Bierdeckel Tiere malte, Schweine, Vögel, Katzen, Enten, Hunde, bevor sie endlich mit dem wankenden, hinkenden alten Mann, ihn stützend, im Gänsemarsch den Heimweg antrat.

Niemand bemerkte das Schlimme in Helgas Leben. Denn sie war ein aufgewecktes Mädchen. Sie gehörte zu den Klassenbesten und besaß besondere musikalische Begabung. Nur einem sehr aufmerksamen Beobachter hätte ihre Scheu zu denken gegeben, ihre Neigung, sich zu verschließen und sich zurück zu ziehen. Vielleicht hätte ein solcher Beobachter ihre tief sitzende Menschenangst bemerkt, die sie bei jeder Kontaktaufnahme überwinden musste. Denn sie lebte in einer Welt, in der sie sich unablässig beobachtet fühlte. Sie entkleidete sich im Dunkeln und hielt für alles, was sie gerade tat oder dachte, so unbedeutend es auch sein mochte, stets eine Erklärung bereit, als müsste sie jederzeit vor einem unsichtbaren Richter ihr

Tun und Lassen rechtfertigen.

Dies, Mama, war ganz im Sinne von „weil nicht sein kann, was nicht sein darf" meine unbewusste Überlebensstrategie:

Da du leugnetest, was mir angetan worden war, leugnete auch ich es, indem ich es vergaß. Denn was ich vergessen hatte, das konnte es nicht (mehr) geben. Auf diese Weise war ich dir treu und ebenfalls dem Täter. Denn schließlich konnte ein Täter weder Täter noch schuldig sein, wenn es ihn nicht gab, so die Logik meines Unbewusstseins!

Nun macht es für das Opfer einen Unterschied, ob es sich an seinen Missbrauch erinnert oder nicht. Denn Missbrauchserfahrungen und ihre Folgen sind eines, Vergessen ist ein anderes:

Das Opfer, das den Missbrauch im Gedächtnis behält, weiß um sein Leid, erinnert sich an die ihm widerfahrene Ungerechtigkeit, es kennt sein Schicksal. Das Opfer, das seinen Missbrauch vergessen hat, täuscht sich über sein Schicksal und seine Identität. Es kann Unrecht nicht spüren, weil es im Unrecht gefangen ist und fühlt sich folglich auch nicht als Opfer.

Unwissend im Unrecht zu leben, lässt aber alle Gefühle, Leid und Schmerz inbegriffen, auch Liebe, Glück, Freude nachrangig erfahrbar sein im Vergleich zu dem Grundgefühl, von dem ein unwissentlich im Unrecht Lebender getrieben wird: dem stummen, aber vitalen Bedürfnis nach Recht und

Freiheit. Unbewusst erwartet er daher von seiner Zukunft, von jedem, der ihn liebt und den er liebt, einen Ausgleich als „Schmerzensgeld", - eine Erwartung, der niemand entsprechen kann.

Nach außen hin verhielt Helga sich „normal": sie hatte Spaß am Rascheln der welken Blätter, wenn sie durch das Herbstlaub schlurfte und sammelte im Frühjahr Maikäfer in Schuhkartons, mit Birkenblättern ausgelegt und mit eingekerbten Luftlöchern an den Seiten. Sie liebte es, mit ihren Puppen zu spielen, und mit Lust rutschte sie Treppengeländer hinunter.

Vom gemeinsamen Spiel mit anderen Kindern hielt sie sich jedoch - trotz ihrer großen Sehnsucht, dazu zu gehören - immer noch fern, denn sie kam sich anders vor als die anderen und wusste nicht, warum, ja, sie fühlte sich sogar schuldig deswegen. Es musste etwas an ihr sein, so dachte sie, das jeden abstieß. Ihr Minderwertigkeitsgefühl empfand sie wie eine unabänderliche Charaktereigenschaft. Sie verstand die Gleichaltrigen in ihrer Unbeschwertheit und Frechheit nicht und fühlte sich verunsichert und abgewiesen. Bei Doktorspielen schaute sie teilnahmslos zu und konnte das verschwörerische Gekicher ihrer Altersgenossen nicht deuten, denn ihre natürliche kindliche Neugier angesichts dessen, was es bei Jungen und Mädchen zu entdecken gab, war zerstört.

Am wohlsten fühlte sie sich, wenn sie mit sich alleine war. Dann träumte sie davon, in einer anderen Welt zu leben und schuf sich ein Phantasiereich. Hier war sie ein elternloses Mädchen, das älteste von vielen Geschwistern, die zusammen auf dem Land lebten. Sie sorgte für ihre Geschwister und ritt jeden Morgen im Galopp mit wehendem Haar durch Wald und Wiesen zur Schule.

Gab es eine Zuflucht für Helga, einen Ort, an dem sie sich aufgehoben und in Sicherheit fühlte? Wohin konnte sie sich mit ihren Gefühlen der Minderwertigkeit und der Scham und der Schuld wenden?

Für Helga war dieser Ort die Kirche.

Im Rahmen der Vorbereitungen für ihre Erstkommunion wurde sie als Achtjährige in das katholische Kirchenleben eingeführt. Schnell stellte sich ein Heimatgefühl ein, denn hier war sie willkommen. Hier gab es einen Platz für sie. Hier war sie Teil einer Gemeinschaft. Hier war es eine Tugend, selbstlos zu sein, und „selbst-los", ja, das war die kleine Helga, im wahrsten Sinn des Wortes! Hier wurde ihre Schuld vergeben, und ihre Gefühle der Minderwertigkeit und Scham hatten eine Daseinsberechtigung. Denn hier war sie nicht die einzige Sünderin, im Gegenteil: das Bekennen von Schuld war eine der Voraussetzungen, zu dieser Gemeinschaft dazu gehören zu dürfen!

Helga fühlte sich von der Kirche angezogen und verbrachte dort viel Zeit, beim Rosenkranzgebet und in der Messe, obwohl sie an den Worten, die sie betend glauben sollte, zweifelte. Es fiel ihr schwer, sich vorzustellen, dass Gott eine Mutter gehabt haben sollte, die noch dazu als heilig verehrt wurde. Dennoch versuchte sie zu glauben, was die Kirche lehrte, ihren Geist an eine Wahrheit zu heften, eine Wahrheit, die von vielen, von der Gemeinde, von einer Gemeinschaft, zu der sie dazu gehören durfte, von der mächtigen Kirche weltweit geteilt und getragen wurde! Eine Wahrheit, die wie eine neue Programmierung in ihrem Kinderkopf eine alte Wahrheit löschen sollte, die alte Wahrheit, die sie weder begreifen noch formulieren konnte: ihre Missbrauchserlebnisse.

Dass du meine Wahrheit geleugnet, sie von dir gewiesen hast, Mama, hätte mich fast um den Verstand gebracht, war ich doch völlig allein mit meiner Wirklichkeit!

Gewissheit über die eigene Wirklichkeit entsteht ja dadurch, dass man sie mit einem Gegenüber teilt, welches diese Wirklichkeit als gemeinsame Wirklichkeit bezeugt. Entzieht sich der andere seiner Zustimmung, - wie in einer Missbrauchssituation der Täter das Opfer durch Schweigen in einer „Es ist eigentlich nichts passiert"-Lüge isoliert -, dann wird der andere, also das Opfer, in eine Einsamkeit gestoßen, die ihn an seiner Wahrnehmung und an seiner Wirklichkeit zweifeln, wenn nicht sogar verzweifeln und den Verstand verlieren lassen!

Du hast, Mama, meine Verzweiflung in Kauf genommen und meinen Verstand aufs Spiel gesetzt!

Indem Helga unbewusst in der Kirche als eine Identität stiftende Wirklichkeit Zuflucht fand, wurde sie davor bewahrt, irre zu

92

werden.

Der Preis dafür bestand in der Mystifizierung des Männerkörpers: Die Konturen des in Holz modellierten gekreuzigten Jesus in Kirche oder Schule, den Helga mit unterdrückter Abscheu betrachtete, gruben sich fest in die Erinnerung des Kindes ein: die muskulösen Waden, der wie ausgehungert sich präsentierende Brustkorb mit den hervor stehenden Rippen, der eingezogene Bauch, die hilflos ausgebreiteten Arme, Blutstropfen an Händen und Füßen, an Herz, Schläfen und Stirn, ein auf die Brust abgeknickter bärtiger Kopf mit Dornenkrone.

Dem Gott, den diese Figur symbolisierte, sollte Helga dankbar sein, so wurde es ihr beigebracht, dankbar dafür, dass er sie erlöst hatte. Doch konnte Helga nie verstehen, von welchen Sünden sie denn eigentlich erlöst worden sein sollte, aber sie traute sich nicht, im Religionsunterricht zu fragen, aus Angst, sie würde dann als „böse" angesehen.

12. Die Zeichenmappe

Als Helga acht Jahre alt war, zog die Familie in dasselbe Haus, in welchem sich das Geschäft befand. Hier nahm Michaels Missbrauch an dem Kind ein Ende, vielleicht, weil Margit jederzeit überraschend in der ein Stockwerk höher liegende Wohnung erscheinen konnte. Auch hatte Helga hier ein eigenes abschließbares Zimmer.

Ich half dir viel im Haushalt, Mama, mit aufräumen, Staub wischen, Wäsche aufhängen, Staub saugen, putzen, bohnern, abspülen, einkaufen. Im Geschäft packte ich Waren aus, zeichnete aus, verkaufte und trug Lieferungen aus.

Als Gegenleistung durfte ich mir aus unserem Bürowarengeschäft Papiere, Kleber, Stifte, Zirkel nehmen, denn ich malte und bastelte gerne.

So gerne malte sie! Wie liebte sie ihren Wasserfarbenkasten! Da gab es jeweils drei verschiedene Rot- und Grün- und Blautöne! Einer prächtiger als der andere! Helga konnte sich nicht satt sehen an den Farben in ihren Töpfchen, die dazu einluden, mit Wasser gemischt auf Papier zu leuchten, und die Entscheidung für diesen oder jenen Ton fiel ihr schwer. Welches Abenteuer war es für sie, zu mischen, Farbkombinationen auszuprobieren und sich von dem Ergebnis überraschen zu lassen! Wenn das kleine Mädchen seiner Mutter voll Eifer und

Stolz ein selbst gemaltes Bild zeigte, in Erwartung ihrer Anerkennung, hatte Helga oft den Eindruck, die Mutter täusche Lob
und Ermutigung nur vor, um sich nicht anmerken zu lassen,
dass sie an etwas oder an jemand anderen dachte. Sie dachte an
Paul Ziehlke.

Die Zeichnungen ihres Kindes erinnerten Margit an Paul,
seinen Vater. Ihre Fragen zu Helgas Darstellungen, falls Margit
Fragen stellte, wirkten oberflächlich. Auf eine unerklärliche
Weise fühlte Helga sich in solchen Situationen von ihrer Mutter mit ihrem Bild allein gelassen, fast zurück gewiesen.

Eines Sonntags, während sich Michael beim Frühschoppen
vergnügte, holte Margit eine große Zeichenmappe hervor und
breitete die darin enthaltenen Bilder auf dem Wohnzimmertisch
aus. Dann setzte sie sich davor, geordnet, aufrecht, wie in Erwartung eines bedeutsamen Momentes und rief ihre neunjähri-
ge Tochter.

Ob Helga sich noch an die Begegnung mit Paul Ziehlke vor
zwei Jahren in dem Café am Kölner Dom erinnern würde, fragte sie sich mit gemischten Gefühlen.

Helga steht abwartend auf halbem Weg zwischen ihrem
Zimmer und ihrer Mutter. Wie Margit am Tisch sitzt, die Bilder vor sich, wirkt sie nachdenklich und unerklärlich traurig,
als sei etwas, von dem Helga nicht weiß, was es ist, für immer
abgeschlossen. Dann gibt sie sich einen Ruck und fordert ihre
Tochter auf, sich zu ihr an den Couchtisch zu setzen, weil sie
ihr etwas zeigen will. Dabei ist sie um einen lockeren, unver-

bindlichen Ton bemüht und setzt ein einladendes Lächeln auf. Helga kommt zögernd näher.

Da legt die Mutter Briefe von Hanns-Harro aus Russland an der Front, datiert von 1943 bis 1945, auf den Tisch. Sie sind voller farbenkräftiger Tusche-Karikaturen, die Margit und ihn darstellen.

Helga ist beeindruckt. Dass die Farben nach zwanzig Jahren noch so frisch leuchten! Es ist ihr rätselhaft, wie Hanns-Harro diese Zeichnungen im Krieg an der Ostfront in Baracken auf dieses Papier gebannt hat. So attraktiv und temperamentvoll hat dieser Mann ihre Mutter gesehen, staunt sie.

Dann breitet Margit Bilder, Tuschezeichnungen, Aquarelle, Radierungen von Paul Ziehlke, etwa zwanzig alles in allem, auf dem Tisch aus. Sie beobachtet Helga abwartend. Es scheint, als habe ihre Tochter tatsächlich das Kölner Café vergessen!

Neugierig wendet Helga sich den Bildern zu, die sie jetzt zum ersten Mal sieht. Sie stellt den Zusammenhang zu einem Aquarell des Malers her, in grün-grau-blauen Tönen, welches zwei Knaben mit zwei Booten zwischen Felsen an einem Strand darstellt. Dieses Bild hängt gegenüber Margits Bett. Sie mag es nicht, ja, sie hegt eine große Abneigung dagegen, fast könnte man sagen, Wut. Denn sie ist eifersüchtig auf dieses Bild, weil der erste Blick ihrer Mutter nach dem Aufwachen und ihr letzter Blick vor dem Einschlafen diesem Aquarell gelten.

Margit beginnt von Paul Ziehlke zu sprechen, doch nur wenige Sätze, die seine berufliche Bedeutung in Magdeburg hervorheben, kommen bei Helga an. Sie ist in den Anblick der Bilder versunken und hört die Mutter wie von weither sagen:

Professor war dieser Künstler! Ein geachteter und bedeutsamer Kunstkritiker! Er lehrte an der Akademie! Er hat auch Kunstbücher verfasst! Er war ganz wichtig, betont sie. Eine außerordentliche Persönlichkeit!

Sie spricht eindrucksvoll von ihm und wirkt dabei von der Vergangenheit vereinnahmt.

Margits Augen suchen Halt in den Zeichnungen vor ihr.

Es kommt Helga vor, dass die Hinweise der Mutter auf die Bedeutung dieses Mannes eher ein Appell an sie selber sind, sich an Vergangenes zu erinnern als dass sie Helga gelten.

Sie versteht nicht, was diese Bilder mit ihrer Mutter und mit ihr zu tun haben.

Warum besitzt Margit diese Kunstwerke? Woher kennt sie Professor Ziehlke, will Helga jetzt wissen.

Aus Magdeburg, lautet die knappe Antwort. Ihre Mutter ist um Fassung bemüht.

Warum warst du dort, Mama.

Wir waren evakuiert. Es war Krieg.

Margit verschließt den Mund und unterdrückt ein Seufzen. Oder einen Schrei?

Es fiel Helga immer schwer, sich vorzustellen, dass es während des Krieges auch - zwar eingeschränktes - aber immerhin auch normales Leben gab.

Wo in Magdeburg arbeitete Margit? Wie lange war sie dort?

Die Mutter antwortet ausweichend, so dass Helga nicht weiter nachfragt.

Die richtige Frage, was Paul Ziehlke mit ihr und ihrer Mutter zu tun hat, kennt das Mädchen nicht.

Und da sich diese richtige Frage nicht einstellte, erfragte Helga auch nichts anderes aus jener Zeit und rätselte weiterhin darüber, warum ihre Mutter in Magdeburg während des Krieges mit russischen Soldaten feierte, obwohl Deutschland mit Russland im Krieg lag und Mutters Freund Hanns-Harro an der Front kämpfte. Ihr Unwissen leitete sie zu der irrigen Schlussfolgerung, dass im Krieg eben alles möglich sein müsste, auch Feste mit dem Feind.

Welche Verwirrung, Mama! Dass die russischen Soldaten in die Nachkriegszeit des besetzten Sachsen-Anhalts gehörten, erfuhr ich nicht. Du verschwiegst mir, dass du auch nach dem Krieg, von 1945 bis 1950, in Magdeburg gelebt hast.

13. Erste Liebe

Eines Tages begegnete Helga Peter, ihrem ersten Freund.

Dem sechzehnjährigen Ministranten war die zwei Jahre jüngere Helga in der Kirche aufgefallen, und sie hatte sein Interesse geweckt. Peter wohnte in der Nachbarschaft, zehn Minuten Fußweg entfernt. Groß und schlank mit einem markant geschnittenen, wohl proportionierten und freundlich blickenden Gesicht besaß er ein gewinnendes humorvolles Wesen. Er trug das Herz am rechten Fleck. Zielsicher umwarb er das junge Mädchen und löste damit eine Bandbreite von Gefühlen in Helga aus: Überraschung, Aufregung, Lebenslust, Neugier, das Gefühl, begehrenswert und liebenswert zu sein, Sehnsucht, Verlangen.

Helgas Klassenkameradinnen staunten. Die schüchterne Mitschülerin war tatsächlich die erste unter ihnen, die umworben wurde!

Es folgten Wochen des vorsichtigen Beschnupperns, und zu jedem ihrer Treffen brachte Peter in seiner achtsamen Art eine kleine Süßigkeit für seine Freundin mit.

Für Helga brachen vier glückliche Jahre an, in denen sie und Peter alles unternahmen, was junge Menschen in diesem Alter damals gerne machten: Tanzstunden-, Diskotheken-, Kino- und Konzertbesuche, sonntäglicher Frühschoppen mit Eiskaffee beim Italiener oder heiße Schokolade in einem romantischen Café in der Innenstadt, Schulpartys und Feste bei

Freunden, Unternehmungen und Gesprächskreise mit der Pfarrjugend, lange Spaziergänge in Wald und Park, am Rhein, Stadtbummel mit Einkäufen.

Der Gesprächsstoff ging beiden niemals aus. Nicht nur vertrauten sie einander alles an, was sie bewegte, sie unterstützten sich auch bei schulischen Problemen, fragten Vokabeln ab, erklärten sich Grammatik, lasen einander Aufsätze vor.

Peter war ein kreativer, umsichtiger, fürsorglicher junger Mann, Helga, phantasievoll, charmant und geistreich, ging sensibel auf ihn ein. Es verband beide ein tiefes Verstehen und Vertrauen.

Da weder Peters noch Helgas Eltern ein Treffen ihrer Kinder zu Hause gestatteten, ermöglichte das Auto von Peters Tante, sobald Peter den Führerschein erworben hatte, willkommene Ungestörtheit neben den gewohnten Plätzen im Wald und Parkbänken. Doch entwickelte sich die körperliche Liebe zwischen den beiden nicht zwanglos und natürlich. Helgas verdrängte Missbrauchserfahrungen standen zwischen ihnen, und auch auf Peters Seite gab es Hemmungen, sei es, dass er sie selber empfand, sei es, dass er sie bei Helga spürte und darauf Rücksicht nahm. Auch wenn Helga die Zärtlichkeiten mit Peter genoss, war es ihr aus unerfindlichen Gründen nicht möglich, mit Peter zu schlafen. Sie spürte danach kein Verlangen, ja, sie hatte sogar das Gefühl, sich dadurch zu beschmutzen. Abgrundtief schämte sie sich wegen dieses Gefühls, es machte sie hilflos, weil sie es sich nicht erklären konnte. Aus

Scham vertraute sie niemandem ihre Not an. Sie verachtete sich, kein normales Mädchen zu sein, weil sie offenbar nicht normal empfand. Dabei war sie sich sicher, Peter zu lieben und war sich auch seiner Liebe gewiss, und dennoch hatte sie das Gefühl, die Liebe sei eine einzige Last. In dieser Ausweglosigkeit diente ihr die kirchliche Morallehre von der Jungfräulichkeit vor der Ehe als willkommene Ausrede.

Um Abstand zu ihrem Konflikt zu gewinnen und Klarheit über sich selbst und ihre Gefühle zu erlangen, plante Helga nach ihrem Abitur eine dreimonatige Reise quer durch Nordamerika.

Da erkrankte ihre Mutter zum zweiten Mal an Brustkrebs und musste operiert werden.

In jener Woche, Mama, schrieb ich vormittags meine Abiturklausuren und arbeitete nachmittags mit der Verkäuferin im Geschäft. Für „Papa" kochte ich am Abend.

Zwei Tage vor meiner und Peters Abiturfeier, die wir gemeinsam im Partykeller unserer Pfarrei ausrichteten, wurdest du aus der Klinik entlassen. Kannst du dich noch erinnern, Mama, wie du, geschwächt und um Zuversicht ringend, am Küchentisch sitzt und mich bei meinen Festvorbereitungen unterstützt, indem du Partyhäppchen zubereitest? Ich hatte solch ein schlechtes Gewissen deswegen!

Wenn ich die Feier nicht mit Peter zusammen, sondern als Einzelfest geplant hätte, hätte ich sie vermutlich mit Rücksicht auf dich abgesagt.

Dann, nach zwei Wochen, im Juni 1972, hob in Köln ein Jumbo nach New York ab, mit Helga an Bord.

Eine neue Welt erwartete sie, ein neues Leben begann.

14. Die Reise

Ebenso wie Peter kannte Helga auch Kurt, einen Sinologen, durch die Pfarrgemeinde. Der verheiratete Mann war zwanzig Jahre älter als sie und Vater von vier Kindern im Alter von fünf, acht, zehn und zwölf Jahren. In der Messe war er Helga durch seine dunkle, altmodisch wirkende Hornbrille aufgefallen, sowie durch seine fromm wirkende Art, wenn er auf dem Rückweg von der Kommunion seine gefalteten Hände vor die Brust hielt.

Kurt hatte von Helgas bevorstehender Amerikareise erfahren, und da er aus beruflichen Gründen zur selben Zeit wie Helga in Kalifornien zu sein plante, hatte er sie eingeladen, ihn zu besuchen.

Weit entfernt von der Heimat, ohne Frau und Kinder, welche zwei Wochen zuvor nach Deutschland zurück gekehrt waren, holte Kurt Helga eines Abends im August gegen 21 Uhr am Greyhoundbusbahnhof in Santa Barbara ab. Es war Helgas Halbzeit auf dem Kontinent, denn sechs Wochen, dicht gefüllt mit abenteuerlichen, herausfordernden und beglückenden Begegnungen und Erfahrungen lagen hinter ihr. Sie hatte jeweils mehrere Tage an neun verschiedenen Orten zwischen Ost- und Westküste bei Familien gelebt, die touristischen Attraktionen der Region kennen lernen und am American Way of Life teilnehmen dürfen. Picknicks, Theater- und Konzertbesuche, Open-Air-Festivals, High-School-Abschiedsfeiern, Football-

Stadien, Besuche in Indianerreservaten, Ausritte mit Cowboys in Nebraskas Sandhügeln oder Wasserski in Nordkalifornien waren einige der bisherigen Höhepunkte ihres abwechslungsreichen Programms.

Als Helga aus dem Bus stieg, wurde sie von Kurt in der Bahnhofshalle erwartet. Die beiden begrüßten sich unsicher. Hinter Kurts lockerer Art verbarg sich große Nervosität, und Helgas Herzlichkeit wirkte aufgesetzt. Am späten Vormittag in San Francisco aufgebrochen war das junge Mädchen nach zehnstündiger Fahrt in einem Pannenbus mit Reifenwechsel erschöpft und sehnte sich nach Schlaf.

Aber während der Autofahrt in ein Restaurant wurde Helga an Kurts Seite schnell munter. Es regte sie an, nach längerer Zeit wieder deutsch zu sprechen, noch dazu mit einem Mann aus ihrer Heimatstadt und vertrauten Kirchengemeinde.

Doch war es nicht allein die Muttersprache, welche Helga ein Gefühl von Nähe zu dem Mann vermittelte, den sie nur flüchtig kannte, es war die Art seines Denkens und Argumentierens, die ihrer eigenen Denkweise glich.

Während sie im vollklimatisierten Restaurant bei Folienkartoffel und Steak ohne Mühe den Höhenflügen des Wissenschaftlers folgte, pflichtete sie ihm in allem bei. Wie selbstverständlich äußerte sie ihre Meinung, die auch seine war, fand Einwände, die auch er hatte, führte Überlegungen an, die wiederum ihn beflügelten. Kurz, es war der Intellekt, gepaart mit einem großen Liebeshunger auf beiden Seiten, welcher schon in den ersten Stunden ihrer Begegnung zwischen ihnen die Funken überspringen ließ.

Nach dem reichlichen späten Mahl fuhren sie zu Kurts Haus, welches er für die mehrwöchige Dauer seines Aufenthaltes in Kalifornien gemietet hatte. Es lag am Meer. Helga kam aus dem Staunen nicht heraus, während Kurt sie durch die Räume führte, nicht ohne betontes Understatement. Dabei zeigte er sich scheu und zurückhaltend, als würde er sein liebevolles Innerstes vor ihr ausbreiten.

Im oberen Stockwerk war ein Zimmer für Helga vorgesehen. Hier stellte Kurt den Koffer ab und lud seinen Gast aus Deutschland trotz der späten Stunde noch zu einem Strandspaziergang ein. Die Achtzehnjährige sagte erfreut zu. Während sie sich umkleidete und Kurt auf der Terrasse auf sie wartete, hatte sie das Gefühl, sich in große Gefahr zu begeben, und in ihrem Innern blinkten sämtliche Alarmlichter auf. Ihr wurde mulmig zumute.

Die Sommernacht war mild und warm bei sternklarem Himmel, an dem ein voller Mond hell leuchtete. Leicht bekleidet gingen Kurt und Helga, lautes Grillenzirpen als Begleitmusik, ans Meer. Der Weg vom Garten zum Strand hinunter lag im Dunkeln und war nur durch das Licht vom Firmament umrisshaft zu erkennen. Als Kurt Helga auf der Holztreppe stützte, zitterten seine kaltschweißigen Hände, was Helgas Herz höher schlagen ließ. Nachdem die Treppe gemeistert war, hielten die beiden sich weiterhin wie selbstverständlich an der

Hand, gingen barfuss am Strand entlang, die gleichmäßigen Wellen des ruhigen Pazifiks am Ohr.

Wie tief sich Helga von den nächtlichen Natureindrücken berührt fühlte! Wie sie sich eins mit der Welt vorkam! Ihre natürliche, kindlich-reine, fast bedürftige Art, sich zu freuen, erregte Kurt. Die Antennen zwischen beiden waren weit ausgefahren, und die Spannung, wenn sie wortlos nebeneinander hergingen, jeder auf die Wahrnehmung des anderen gerichtet, knisterte zwischen ihnen.

Aufgewühlt kehrten Kurt und Helga nach kurzer Zeit ins Haus zurück, vorbei an Kolibris, die immer noch auf der Terrasse Nektar aus Chrysanthemenbüschen saugten, nur von ihren vibrierenden Flügeln in Stellung gehalten.

Mit Mühe widerstanden Kurt und Helga der Versuchung, das Bett zu teilen, und jeder kämpfte sich durch eine schlaflose Nacht.

Doch schon am nächsten Tag brach sich die Leidenschaft zwischen ihnen Bahn, allerdings gab Helga sich Kurt nicht völlig hin, nicht in ihrer ersten gemeinsamen Nacht und auch nicht in den darauf folgenden:

Die junge Frau empfand zwar große Leidenschaft, aber sie hatte Angst, schwanger zu werden. Trotzdem war sie gewiss, und dieses Gefühl teilte auch Kurt: ihrer beider Gefühle füreinander waren die große Liebe, eine Liebe, die lebenslänglich tragfähig und voller Zukunft und Glück sein konnte. Gleichzeitig war beiden bewusst, dass sich diese Liebe ihren Weg gegen große Widerstände - und derer harrten genug - bahnen musste.

Eine bewegte Woche lang blieb Helga bei Kurt in Santa Barbara, bevor sie, entgegen Kurts Bitten zu bleiben, ihren Weg durch Amerika wie geplant fortsetzte, sich aber mit ihm am Gran Canyon und zuletzt in New York wieder traf.

Dann flogen beide in demselben Flugzeug zurück nach Köln, wo Kurt von seiner Frau und zwei seiner Kinder und Helga von Peter erwartet wurde.

Auf den ersten Blick scheint es verwunderlich, warum eine attraktive achtzehnjährige junge Frau der treuen und verlässlichen Liebe eines gleichaltrigen freien Mannes einen zwanzig Jahre älteren Mann vorzieht, der durch eine Ehe und vier Kinder gebunden ist und außer Versprechungen keine Zukunftsperspektive bieten kann.

Es mag an dem von Kurt gesetzten Rahmen und dem Vokabular liegen, wodurch Helgas Liebesgefühle geweckt wurden. Mit einer untrüglichen instinktiven Sicherheit hatte Kurt unbewusst die große Bedeutung des Sakralen und der Kirchengemeinschaft für Helga erkannt. Er sprach von ihrer beider Liebe als einer göttlichen Berufung. Er nannte Helga seine auserkorene Retterin, die ihn mit ihrer Liebe erlöste und stellte seine Eheprobleme als schuldhaftes Verhalten seiner Ehefrau dar, der er zum Opfer gefallen war.

Wie ein Opfer sich fühlte, das wusste Helga, und Hilfsbedürftigkeit kannte sie nur zu gut. Der arme Mann! Ihre Empathie für Kurt strömte warm und ungehemmt zu ihm hin und fühlte sich wie eine große Liebe an.

Auch sie empfand diese Liebe als eine göttliche Gnade, die ihr unverdientermaßen zuteil geworden war und die sie sich deshalb im Nachhinein verdienen musste, wie sie glaubte. Wenn es gottgefällig sein sollte, diese Gnade in der Art abzuleisten, indem sie nach Kurts Scheidung ihn dabei unterstützte, dass seine vier Kinder bei ihm lebten, dann würde sie für diese Kinder aus Liebe zu ihm wie eine Mutter sorgen.

15. Ein Sieg

Sie nähme Kindern den Vater weg, war Margits empörter Vorwurf an Helga, als diese nach ihrer Rückkehr aus Amerika von Kurt erzählte.

Margit machte ihrer Tochter schwere Vorhaltungen. Sie warf ihr moralisch verwerfliches Verhalten vor und verlangte von ihr, den Kontakt zu Kurt abzubrechen.

Im November, zwei Monate nach ihrer Rückkehr aus Amerika, hatte Helga sich für ihr erstes Semester des Studiums der Germanistik, Romanistik und Theologie eingeschrieben.

Kurt arbeitete inzwischen in Zürich, während seine Familie noch in Bonn lebte. Er hatte seiner Frau von Helga erzählt, welche die junge Studentin aus der Pfarrei kannte und oft Kundin in Margits Geschäft war. Sie, die sich in unerfüllter Liebe nach einem anderen Mann verzehrte, war Helga gegenüber freundlich gesonnen, hatte doch das Erscheinen der jungen Frau zu einer Entspannung im ehelichen Konflikt beigetragen. Über die Treffen ihres Mannes mit seiner Freundin war sie meist unterrichtet. Anders jedoch Helgas Eltern. Aufgrund ihres Widerstands trafen Kurt und Helga sich heimlich, an den Wochenenden, wenn Kurt von Zürich nach Bonn zu seiner Familie fuhr.

Helga ließ die Eltern im Glauben, ihre Beziehung zu Kurt sei beendet.

Seine Briefe sandte Kurt an Helga postlagernd. Um sie dort

abzuholen oder sich in einer Telefonzelle von Kurt zu einem verabredeten Telefonat anrufen zu lassen, eilte Helga täglich vor einer Vorlesung oder zwischen zwei Lehrveranstaltungen zur Hauptpost.

Dabei schaute sie auf dem Weg unruhig hin und her, blickte sich um, spähte voraus, während sie gebetsmühlenartig Erklärungen vor sich hin zitierte, für den Fall, dass ihr jemand begegnete, der sie kannte. Sie hoffte inständig, dass niemand ihrer Mutter ausplauderte, sie weit entfernt von den Universitätsgebäuden in der Stadt gesehen zu haben, auf frischer Tat ertappt, sozusagen. Auch hatte Helga Angst, „ihren Vater" auf einem seiner verschiedenen Kneipentouren zu begegnen. Auf seine Frage, wohin sie unterwegs wäre, hätte sie ihn angelogen, und er hätte es - betrunken oder nicht - gemerkt. Doch ihre Begegnung hätten beide geheim gehalten.

So kam das junge Mädchen sich, voller Hoffnung zum Hauptpostamt eilend, vor, als täte sie etwas Verwerfliches und müsste sich deswegen vor der drohenden gerechten Strafe fürchten.

Ein Dreivierteljahr später, im Frühsommer kamen Kurt und seine Frau überein, sich scheiden zu lassen. Dann würde Kurt frei für eine Ehe mit Helga sein. Seine Frau hatte eingewilligt, „zum Wohl der Kinder" als seine geschiedene Frau mit Kurt und den Kindern nach München umzuziehen, wo er in Kürze eine neue Stelle antreten würde.

Nun war es für die neunzehnjährige Helga an der Zeit, den

Eltern von ihren Hochzeitsplänen zu erzählen. Ihre Eröffnung versetzte Margit und Michael in schieres Entsetzen, und Michael stieß als Kommentar auf Helgas Nachricht hervor: „Dies ist das Grabeslicht unserer glücklichen Familie."

Die beiden drohten damit, die Tochter zu verstoßen, sollte diese den Kontakt mit „dem Mann" weiterhin aufrecht erhalten. Helga flüchtete zu Kurt, bei dem sie bis spät in die Nacht blieb.

Anderntags schrieb Michael an Kurt, er sollte seine Tochter ein für allemal in Ruhe lassen.

Doch zu ihrer Liebe zu stehen, war für Helga nicht nur eine Frage ihrer Treue zu sich selbst, es war für sie inzwischen zu einer Frage ihrer Existenz geworden.

Sie ertrug die Heimlichkeit nicht länger und wechselte zum Wintersemester 1973 nach Freiburg. Dort fand sie ein kleines Mansardenzimmer mit Ölofen, dessen Miete sie von ihrem Sparbuch bestritt. Als Schülerin hatte sie an der städtischen Musikschule Bonn jahrelang Blockflötenunterricht erteilt und das Honorar zurück gelegt.

Heimatlos aber frei kam sie sich bei ihren Streifzügen durch Freiburg vor, durch die Altstadt oder an der Dreisam entlang. Einmal fuhr sie mit dem Zug nach Basel, ein andermal nach Straßburg. Täglich kniete sie im Dom, um für ihre Liebe zu beten.

Es machte sie fassungslos, dass ihre Mutter tatsächlich annahm, sie würde Kurt vergessen!

Wie viel Kraft kostete es sie, gegen den Widerstand der

Mutter zu leben!

Was ließ sie sich nicht alles einfallen, wenn sie mit Margit telefonierte, wie oft musste sie ausweichend antworten, die Mutter täuschen, um sie glauben zu machen, dass sie ein gewöhnliches Studentenleben führte! Oft war ihr stundenlang wegen ihrer Lügen übel. Dann wieder glaubte sie sich dem Wahnsinn nahe, zu einem Doppelleben gezwungen zu sein.

Doch ihr Studium gab ihr Halt. Es bestand ausschließlich aus Lernen. Viele Stunden verbrachte die Studentin mit einsamen Spaziergängen, in Karteikarten mit französischen Vokabeln und Sprachregeln oder mit theologischen Begriffen vertieft.

Freizeit in Kinos oder Bars, Konzert oder Theater gab es nicht, auch gewann sie keine neuen Freunde und pflegte außerhalb der Universität keinen Austausch mit Kommilitonen.

Die große Herausforderung, bereits im dritten Semester ihre Zwischenprüfung abzulegen, meisterte sie vermutlich auch deshalb, weil diese Prüfung ein unbewusstes, an ihre Mutter gerichtetes Ablenkungsmanöver von ihrer Beziehung mit Kurt war. Denn jedes Wochenende, wenn Margit ihre Tochter mit Prüfungsvorbereitungen beschäftigt glaubte, fuhr diese im Zug nach München, wo Kurt inzwischen mit seiner Familie lebte, und oft erwartete ihr Liebster sie am Bahnsteig mit einem oder zwei seiner Kinder.

Ein Jahr, nachdem Helga ihrer Mutter und ihrem Stiefvater angekündigt hatte, dass Kurt und sie heiraten wollten, fanden die Hochzeitsvorbereitungen statt. Helga war inzwischen zwanzig Jahre alt und benötigte, da die Volljährigkeit damals erst mit einundzwanzig Jahren galt, die elterliche Zustimmung zur Trauung. Um Helga nicht, wie es hieß, zu verlieren, hatten Margit und Michael ihre Einwilligung schließlich erteilt. Margit war vor dem Trauungstermin in eine zweiwöchige Kur gereist, um sich den Herausforderungen, die die Hochzeit ihrer Tochter für sie darstellte, gewachsen zu fühlen.

Außer den Eltern der Brautleute gehörten Marianne, die Schwester von Margits Mutter mit Ehemann Erwin, sowie die Schwester von Michaels zweiter Frau Fanny zum kleinen Kreis der Gäste auf dem Standesamt. Ohne Freunde und ohne Kurts Kinder fanden Trauung und anschließende Feier statt. Helga wollte ihren frisch gebackenen Ehemann an diesem Tag nicht mit seinen Kindern teilen. Es war für sie schwer, aufgrund von Kurts Scheidung nicht kirchlich in Weiß heiraten zu dürfen. Von frühester Kindheit an hatte sie von einer großen Hochzeit in Weiß geträumt, als ob das Weiß des langen Gewandes aus Spitze und Seide eines Tages ihre Unschuld bezeugen und sie sich mit dem Hochzeitskleid ein glückliches Leben überstreifen könnte!

Doch die Hochzeit legitimierte endlich ihre Liebe! Die heimlichen Treffen zwischen Kurt und Helga hatten jetzt ein Ende. Dass Helga sich auf Fahrten durch die Stadt vor dem Beifahrersitz in Kurts Auto auf den Boden hockte, aus Angst, von Bekannten gesehen zu werden, diese Zeiten waren jetzt vorüber.

Es gab noch einen weiteren Grund für die unauffällige Bescheidenheit der Hochzeitsfeier, der in einer tief sitzenden Angst und in einem Schuldgefühl magischer Art bestand: Helgas und Kurts Glück hatte sich gegen starke Widerstände durchgesetzt, so dass sie es nicht mit einer großen Feier zur Schau stellen wollten, als fürchteten sie eine Strafe, als hätten sie kein Anrecht darauf, miteinander glücklich zu sein.

Das erklärt, warum kaum Fotos gemacht wurden. Es gab nur wenige Bilder von diesem Fest, das eine: Kurt und Helga mit ihren beiden Trauzeugen, Kurts Vater und Helgas Mutter, am Tisch vor dem Standesbeamten sitzend. Ein weiteres: Kurt und Helga vor dem Standesamt als frisch Vermählte. Schließlich: Kurt und Helga vor dem Standesamt mit Michael und der Schwester seiner verstorbenen zweiten Frau Fanny.

Nach dem feinen Mittagessen in einem Schlösschen in der Umgebung von Bonn brachen Kurt und Helga in die Flitterwochen nach Rom auf, wo es erste Krisen zu bestehen galt: statt Hotelkomfort erwartete die beiden in diesem feucht-nassen April ein ungeheiztes Zimmer in einer bescheidenen Pension, und Kurt löste, uneinsichtig, durch eine Ansichtskarte an seine Ex-Frau in Helga große Eifersucht aus. Ansichtskarten dokumentierten diese Reise, von der jedes persönliche Foto fehlte. Sie zierten fortan Helgas Fotoalbum, einige wenige von Rom und viele vom Papst, an dessen Audienz für „Sposi Novelli", die Jungvermählten, die beiden teilnahmen.

114

Ein Jahr später kam das erste Kind zur Welt, Helgas älteste Tochter. Fast zeitgleich hielten die vier Kinder aus Kurts erster Ehe bei ihrem Vater und seiner jungen Frau Einzug. In den darauf folgenden Jahren brachte Helga drei weitere Kinder zur Welt. Einen Zwilling ihres Sohnes verlor sie in ihrer zweiten Schwangerschaft durch Blutungen in der zehnten Woche.

16. Familienleben

Die Jahre zogen ins Land, und die Kinder wuchsen heran. Für Helga war ihr Beruf als Vollzeitmutter mit einem gut sechzehnstündigen Alltag dicht geplant. Darüber hinaus brachte es Kurts berufliches Umfeld mit sich, dass kulinarische und gesprächsintensive Gästeabende zu Hause und bei Kollegen für Abwechslung sorgten. Kurt und Helga waren gute und geschätzte Gastgeber, und beide bezogen aus der Bewunderung und Anerkennung ihrer Familie im Gast- und Freundeskreis Kraft und Motivation.

Ausgedehnte Ferienreisen und unterschiedliche mehrmonatige Aufenthalte in Nordamerika, wo die Kinder Kindergarten und Schule besuchten, bedeuteten zwar für Helga immer wieder eine große Herausforderung, waren aber ebenso sehr abwechslungsreiche, erfüllte und glückliche Jahre.

Dein Mann, Mama, starb, als mein zweites Kind ein halbes Jahr alt war. Zwei Jahre später verkauftest du dein Bürowarengeschäft. Mehrmals im Jahr besuchtest du uns von nun an und halfst mir tatkräftig im Haushalt mit. Meine Kinder liebten und verehrten ihre Oma sehr, da du mit viel Geduld und Hingabe mit ihnen spieltest, ihnen vorlasest und erzähltest, mit ihnen schmustest. Du stricktest Schals für die Teddys und häkeltest Kleidchen für die Puppen. Kein Wetter war dir zu kalt oder zu heiß, wenn eines deiner Enkelkinder auf den Spielplatz

wollte, und auch wenn die Einkäufe die doppelte Zeit benötig-
ten: die Enkel durften immer mit der Oma gehen und in den
Geschäften das eine oder andere aussuchen.

Zwei Jahre vor der Geburt meines vierten Kindes erkrank-
test du an Leberkrebs. Ich richtete dir in unserem Haus ein
Zimmer ein und pflegte dich einige Wochen lang, bis zu deiner
Todesstunde, in der ich bei dir war.

Durch enge Freundschaften war Helga in regem Gedanken-
austausch mit anderen Müttern, und die gegenseitige Teilhabe
an Freud und Leid beeinflusste ihre Meinungsbildung. Zu ihrer
eigenen Verwunderung nahm sie plötzlich andere Lebensein-
stellungen und andere Menschenbilder außerhalb ihrer und
Kurts gemeinsamer Vorstellung vom Leben wahr. Sie erkannte
die Gültigkeit auch ihr fremder Erfahrungen, als hätte sie bisher nie davon Notiz genommen. Und ihr wurde mehr und mehr
bewusst, wie gefühlsarm sie mit Kurt lebte. Der Gedankenaus-
tausch zwischen ihr und ihrem Mann war eher einem Universi-
tätskolloquium vergleichbar als einem Gespräch zwischen zwei
Ehepartnern. Über ihre Gefühle füreinander sprach keiner von
beiden. Helga begann Kurts und ihre ausschließliche Denkweise infrage zu stellen und wünschte sich eine lebendige Beziehung mit ihrem Mann.

Doch weit davon entfernt, sich auf einen Gefühlsaustausch
mit seiner Frau einzulassen, warf Kurt Helga gerade dies vor:
dass sie nicht mehr die Alte bleiben wollte. Siebzehn Jahre

lang hatten die Eheleute ohne Streit miteinander harmonisch gelebt - um den Preis der Unterdrückung aller Gefühle, die diese Harmonie gefährden konnten, wie Helga es sah - und Kurt wollte an diesem Zustand nicht rütteln. Argwöhnisch beobachtete er, wie seine Frau sich für Anthroposophie zu interessieren begann und Bauchtanz lernte, wie sie sich in asiatische Philosophien, Tao und Tantra einlas, Kurse über Farbenlehre und Körperenergien, Vorträge über die Aktivierung von Selbstheilungskräften und Homöopathie besuchte. Er fühlte sich bedroht.

Eines Tages brach wie aus heiterem Himmel in Helga das Bedürfnis zu malen durch, so dass sie Farben, Pinsel und Leinwand kaufte. Es war seit ihrer Schulzeit das erste Mal, dass sie wieder malte. Großflächig, breitstrichig, farbenintensiv trug sie das Acryl auf.

Der Untergrund ihres Bildes bestand aus zwei Gelbtönen, ein kühles Gelb zur Linken, das warme rechts. Am unteren Rand zog sich ein feuriges Dunkelrot wellenförmig über die ganze Breite der Leinwand. Mitten in diesem Wellenmeeer verzweigten sich braunschwarze Wurzeln. Sie waren kurz, dick und kräftig und nährten drei Stämme, welche sich oberhalb der Feuerwellen über die gesamte restliche Höhe und Breite des Bildes spannten. Der mittige dunkelblaue Stamm glich einer unumstößlichen Säule, welche das warme und das kühle Untergrundgelb voneinander trennte. Der linke Stamm in erdigem Braun mit dunkelgrünen Konturen rollte sich direkt über dem welligen Rot schneckenartig zusammen, während der rechte hellgrüne Stamm einem frischen üppigen Baumtrieb glich, aus welchem vier verzweigte kleinere Triebe hervor wuchsen.

Mit diesem Bild, Mama, hatte ich, ohne es zu wissen oder auch nur zu ahnen, meine seelischen Verletzungen dargestellt und ihnen eine Dimension von Wirklichkeit verliehen, die für jeden sichtbar wenn auch nicht erkennbar war.

Mit den Jahren nahmen die Spannungen zwischen den Eheleuten zu. Kurt vertrat weiterhin die Meinung, Probleme zu lösen, indem er sie leugnete. Geschickt setzte er wissenschaftliche Erkenntnisse zur Konfliktabwehr ein, um seinen Widerstand legitimiert zu untermauern. Denn aus seiner Sicht beging Helga einen ungeheuerlichen Verrat, ja, sie machte sich des Tabubruchs schuldig! Sie brach aus der Ehegemeinschaft aus, indem sie die Richtigkeit ihrer beider bewährter Sichtweisen, die Grundlage ihrer Ehe, erschütterte!

Helga spürte ihre Kräfte schwinden, sie kämpfte gegen akute und chronische Krankheiten. Seit ihrem zwölften Lebensjahr litt sie an starken Rückenschmerzen, die sie durch Yoga und regelmäßige Wirbelsäulenübungen auf ein erträgliches Maß reduzierte.

Inzwischen nahmen die Schmerzen überhand. Erst als Helga aus dem gemeinsamen Schlafzimmer auszog und das Ehebett gegen einen Futon im Hobbykeller tauschte, ließen ihre

Schmerzen nach.

Wie innig und nah hatten Helga und Kurt sich gefühlt, in einer großen, göttlichen Liebe vereint!

Wo war die Liebe geblieben? Wann war die Leidenschaft verloren gegangen?

Helga wusste nicht, dass das Gefühl von Nähe, welches das Paar so eng miteinander verbunden hatte, in einer Ähnlichkeit ihrer Schicksale gründete, in einer unbewussten Vertrautheit mit ähnlichen Kindheitserfahrungen, auch dem Irrtum über die eigene Identität.

Die Zeit des Trennungsprozesses, der in die Scheidung mündete, dauerte sechs Jahre. Immer, wenn die Frau Zweifel an der Richtigkeit ihrer Entscheidung befielen, wenn ihr Kurts Trennungsschmerz vor Augen stand und sie das Gefühl hatte, ihre Kinder unglücklich zu machen, machte sie sich ihr eigenes Unglück bewusst und würdigte ihren eigenen Schmerz.

So stellte sie den Ausgleich her.

Was ihre Kinder betraf, glaubte sie, dass die Alternative nicht lautete, entweder den Kindern durch eine Scheidung Leid zuzufügen oder sie durch ein Aufrechterhalten einer Scheinehe vor Leid zu bewahren, sondern die Alternative war: welches Leid glaubte Helga, ihren Kindern zumuten zu können: das klare Auseinandergehen der Eltern durch eine Scheidung einerseits oder vorgetäuschtes harmonisches, ein irreführendes Familienleben andererseits.

Ein Jahr nach ihrer Silberhochzeit wurden Kurt und Helga geschieden. Da waren ihre Kinder zwölf, neunzehn, zweiundzwanzig und fünfundzwanzig Jahre alt.

17. Die Heilung

Mit der Scheidung waren für Helga, die inzwischen ein Alter von Mitte vierzig erreicht hatte, die gewohnten Schwierigkeiten zwar überwunden, aber neue stellten sich ein. Alles in allem kämpfte sie zehn weitere Jahre, bis sie sich gesundheitlich, finanziell und emotional auf sicherem Grund befand.

Ich brauchte Unterstützung, Mama, denn ich war liebesbedürftig und allein.

Mit einem Tantrafreund machte sie die Erfahrung, durch achtsame Sinnlichkeit feine sexuelle Energien zu wecken. Aber bald erkannte sie, dass sie durch diese Liebesform ihre gewohnte Trennung von Emotionen einerseits und Körperlichkeit andererseits auf eine andere Weise weiter aufrecht hielt. Denn sie liebte diesen Mann nicht.

Auch spirituelle Praktiken und Sichtweisen halfen ihr nicht aus ihrem Konflikt, sich trotz guten sexuellen Kontakts mit einem Mann ihm gegenüber in Gefühlen wie Liebe, Freude und Glück aber auch Ärger oder Wut, gefühlsarm zu zeigen. Die spirituellen Menschen, denen sie begegnete, schienen Gefühle in gute und schlechte zu trennen und vermieden ebenso sehr Wut und Ärger und Forderung und Widerstand, wie sie dies in ihrer Ehe vermieden hatte.

Bei einem ganzheitlich arbeitenden Arzt war eine kurzzeitige Traumarbeit für Helga sehr hilfreich, denn sie träumte viel und ausdrucksstark. Ihre Träume sprachen im Hinblick auf ihr Missbrauchsschicksal eine eindeutige Sprache. Durch Aufstellungsarbeit ließen sich viele Verstrickungen mit Schicksalen der Ahnen lösen. Doch waren auch dieser Arbeit Grenzen gesetzt, da sie, was ihre väterlichen Vorfahren betraf, im Irrtum lebte.

Durch bioenergetische Körperarbeit erlebte Helga, dass ihre Lebenserfahrungen und Gefühle im Körper gespeichert und oft unterdrückt und der bewussten Wahrnehmung nicht zugänglich sind, so dass Krankheiten daraus entstehen können. Viele körperliche und seelische Blockaden lösten sich dadurch auf.

Mit solchem Einsatz, Mama, arbeitete ich daran, die Zeit der Trennung und Scheidung von Kurt seelisch und körperlich durch zu stehen und auch die Ursachen, die zum Ende unserer Ehe geführt hatten, zu erkennen.

Ich wollte für eine neue Liebe frei werden, für meine Liebe.

Helga war darauf angewiesen, zu Kurts Unterhaltszahlungen ein regelmäßiges eigenes Einkommen dazu zu verdienen. Durch die Vermittlung einer Freundin hatte sie in der PR-Abteilung einer Bausparkasse eine Halbtagsanstellung gefunden. Ihre Arbeit bestand darin, Texte für die Kundenzeitschrift zu verfassen. Es tat ihr gut, in ein Team eingebunden zu sein. Sie lernte, kollegiale Rückmeldungen und Impulse zu schätzen und mit Kritik umzugehen.

Als dritte Einkommensquelle arbeitete sie auf Honorarbasis bei einer Werbeagentur, für die sie Homepagetexte aus der Alternativmedizin verfasste.

Was eine neue Partnerschaft betraf, glaubte Helga, durch ihren Lebenskampf gereift zu sein, obwohl ihr Anteil am Scheitern der Ehe, ihre Traumatisierungen, ihr zu diesem Zeitpunkt nicht bewusst war. So gesehen lebte sie auch nach der Scheidung noch nicht in ihrer wahren Identität.

Nach mehreren kürzeren Beziehungen war es an ihrem fünfzigsten Geburtstag Helgas sehnlichster Wunsch, einen festen Lebenspartner zu finden. Als sie sich bald darauf in einen Arzt verliebte, war sie davon überzeugt, in dem begehrten Mann den Richtigen gefunden zu haben. Er übte eine starke Anziehungskraft auf sie aus und rührte an eine tiefe Liebe in ihr. Auch er wirkte angetan und war an Helga interessiert, doch zog er sich bald aus unerfindlichen Gründen zurück. Die Frau war ratlos.

Es wollte Helga nicht in den Sinn, dass ihre Liebe im Sand verlaufen sollte. Deshalb beschloss sie, fachkundige Unterstützung in Anspruch zu nehmen, in der Erwartung, durch einige psychotherapeutische Sitzungen werde sich der Knoten lösen und die Liebe in Fluss kommen. Sie konnte nicht ahnen, dass sich aus ihren beabsichtigten „paar Stunden" eine zehnjährige Therapie entwickeln würde.

Zu ihrer ersten Probestunde bei Dr. Maier, einem Psycho-

analytiker, ging Helga voller Neugier und Erleichterung darüber, einen längst überfälligen Schritt, wie es ihr vorkam, zu
tun.

Sie hatte die Vorstellung, der Therapeut werde ihr sagen,
was zu tun sei, denn ihr Bild von Psychotherapeuten war der-
art, dass diese glaubten, alles besser zu wissen und sich überle-
gen fühlten.

Vor der Praxis angekommen, klingelte sie, drückte beim
Summen des Türöffners die Haustüre auf und ging die Treppe
in den ersten Stock hinauf. Dort wurde sie von einem wachen,
freundlich blickenden Mann in der geöffneten Tür erwartet.
Schon in diesem ersten Augenblick merkte Helga, dass ihre
Vorstellung von Psychotherapeuten falsch war. Dr. Maier,
schlank, groß und Anfang sechzig, erweckte den Eindruck
eines „normalen" Mannes mit einem normalen Beruf. Er strahlte eine heitere, achtsame Gelassenheit aus, die in Respekt vor
sich selbst und dem anderen gründete, wie ihr schien. Er war
ein Mann, der Raum gab und zuhörte, kein Ratgeber und kein
Problemlöser.

Das Sprechstundenzimmer war behaglich eingerichtet, eine
Mischung aus Büro und Wohnraum, und Helga fühlte sich
wohl. Gegenüber der Tür stand an der Wand eine Liege, mit
einem Seidenteppich in farbintensiven erdenen Tönen bedeckt.
Es gab Regale, einen Schreibtisch mit einem Hocker davor,
einen Bürostuhl, in dem der Therapeut während der Stunde zu
sitzen pflegte, eine große Klangschale mit vielen Kissen darin,

einen Sessel. Helga schaute sich nicht um, sah nicht so genau hin, ihr Gesichtsfeld war eng eingegrenzt. Hauptsache, sie war da. Falls Bilder an der Wand hingen, nahm Helga sie nicht wahr, und die Ziergegenstände auf Regal und Fensterbrett streifte ihr Blick nur flüchtig. Das war ganz und gar untypisch für sie. Gewöhnlich konnte sie sich genau an die Einrichtung eines Raums mit vielen Details erinnern. Sie spürte, hier verhielt sie sich anders als sonst, ohne den Grund dafür zu kennen, ohne ihn auch wissen zu wollen.

Helga nahm im Sessel Platz und kam sich vor, als würde sie darin versinken. Deshalb stand sie wieder auf, holte aus der großen Klangschale zwei Kissen, legte sie auf den Sessel und setzte sich erneut hin. Nachdem sie sich vorgestellt und in groben Zügen ihr Leben geschildert hatte, kam sie auf den Grund ihres Kommens zu sprechen: sie wusste nicht weiter. Es kam ihr vor, als steckte sie privat und beruflich gleichermaßen fest. Welche Weichen sollte sie stellen? Was war mit ihr geschehen durch ihre Begegnung mit dem Arzt?

Dr. Maier meinte, so falsch würde Helga nicht leben, ihr fehlte nur die Liebe.

Ja, so konnte man sagen.

Der Mann schlug ihr vor, sich zu entspannen und lenkte ihre Aufmerksamkeit auf ihren Atem.

Helga war verunsichert. Was soll das, dachte sie. Vom Atem verstehe ich genug. Habe ich nicht kürzlich einen Qi-Gong-Kurs besucht?

Trotz ihrer Skepsis folgte sie Dr. Maiers vorsichtiger Anregung, der sie anleitete, mit Fingerspitzengefühl sich ihr selbst zuzuwenden. Helga stolperte über sein Wort „Fingerspitzengefühl". Natürlich kannte sie es, aber sie verwendete es nie. Vielleicht, weil ihr Fingerspitzengefühl fehlte? Oder weil sie es nicht zum Einsatz brachte? Oder weil sie, seit sie denken konnte, ihre Fingernägel kaute?

Endlich richtete sie ihre Aufmerksamkeit auf das Ein- und Ausatmen und entspannte sich.

Dr. Maier merkte an, wenn es für sie stimmig wäre, jetzt auf ihren Körper zu achten: wie nahm sie ihren Körper wahr, nun, da sie locker atmete.

Trotz ihrer Vorbehalte spürte Helga, dass ihr Körper, dem Vorschlag des Therapeuten folgend, von ihr jetzt durchaus mit Achtsamkeit gefühlt werden wollte.

Plötzlich machten sich ihre Beine bemerkbar. Ein unangenehmes Kribbeln stieg von den Füßen hoch, das in der Mitte der Waden aufhörte. Als Helga ihrem Therapeuten diese Rückmeldung gab, sah er sie ernst an. Sie verstand nicht, warum. Aber ihre Körperwahrnehmung musste ihm einen Hinweis auf eine vergessene Erfahrung gegeben haben.

Die Therapiestunde ging schnell vorüber. Helga hatte das Gefühl, dass eine große emotionale Blockade berührt worden war. Nach zwei weiteren Probestunden, die sowohl ihren Therapiebedarf als auch eine gute Zusammenarbeit zwischen ihr und Dr. Maier bestätigten, einigte sie sich mit dem Therapeuten auf eine Weiterbehandlung. Als Ziel wünschte sie sich, ihren Liebespartner zu finden.

Helgas Körpererfahrung in der ersten Therapiestunde war der Einstieg in eine jahrelange tief greifende Körperarbeit: Dies überraschte die Frau, hatte sie doch geglaubt, in einer Psychotherapie werde vor allem viel geredet. Natürlich wusste sie, dass es unterschiedliche Therapieformen gab, aber das Reden, so glaubte sie, war immer wesentlich.

Doch auf das Gefühl kam es an, jede Körperwahrnehmung war von Bedeutung. Fühlte Helga ihren Körper? Was spürte sie? Wo spürte sie? Wie spürte sie? Warm oder kalt? Lebendig oder erstarrt? In Bewegung oder am Ort? Kreisförmig oder als Strom? Stark oder schwach? Ein Jucken im Zeh, ein Schweißausbruch am Haaransatz, klappernde Zähne, ein angespannter Kiefer oder ein einschießender Schmerz im Lendenwirbelsäulenbereich, das Gefühl von Lust im Bauch oder von Übelkeit? Wann, bei welchen Gedanken setzte welche Empfindung ein? Welche seelischen Regungen gingen mit den Körpergefühlen einher? Stellten sich Bilder ein, Vorstellungen, Erinnerungen? Waren sie klar oder schemenhaft, logisch oder assoziativ?

Helga erinnerte sich, bisher ihren Körper nur dann gespürt zu haben, wenn er schmerzte. Als hätte sie den Schmerz gebraucht, um zu wissen: Ich lebe. Erst nach der Geburt ihres jüngsten Kindes, im Alter von fünfunddreißig Jahren, hatte sie durch eine naturheilkundliche Behandlung zum ersten Mal die

Erfahrung eines entspannten Körpers gemacht, eines Strömens von Wärme, hatte ihr Herz klopfen gespürt und daraufhin Angst bekommen, an einem Herzinfarkt zu sterben!

Im Laufe ihrer Therapie machte die Frau die Erfahrung, dass in den Körperzellen Erinnerungen gespeichert und mit Gefühlen verbunden waren, die ihr Bewusstsein längst vergessen hatte. Indem sie die unterdrückten Gefühle, auch Schmerz, durch die therapeutische Arbeit wieder f ü h l t e, konnten sich diese in der traumatischen Situation erstarrten Gefühle auflösen, und die dazu gehörigen Erinnerungen wurden frei.

Wenn Helga am nächsten Morgen nach einer Therapiestunde erwachte, fühlte sich ihr Körper oft so an, als hätte sie Schwerstarbeit geleistet. Sie empfand die eine oder andere Körperregion dichter und präsenter, so, wie wenn man lange eine Last getragen hat und sie absetzt und dann erst merkt, wie erschöpft man vom Tragen ist. Manchmal machte sich sogar ein Muskelkater bemerkbar. Und dies alles nur, nachdem sie während der Therapiestunde im Sessel gesessen oder auf der Liege gelegen, ihren Körper gespürt und längst vergessene Gefühle wieder neu empfunden hatte!

Häufig geschah es als Folge einer ihrer Stunden bei Dr. Maier, dass Helga das Gefühl hatte, ihr Gehirn ordnete sich neu. Sie war dann zeitweilig für eine halbe bis zwei Stunden orientierungslos, fühlte sich außer sich, neben sich, wusste überhaupt nicht, wie ihr geschah, kam sich wie ein hilfloses Opfer vor. Manchmal fühlte sich dieser Zustand so an, als befände sie sich zwischen Eisschollen, die auseinander brechen und schmelzen, und sie müsste von einer zur anderen hüpfen, um sich ans sichere Land zu retten.

Die Frau träumte oft und intensiv, und die Traumbilder deuteten darauf hin, dass zwischen ihrem „Vater" und ihr „etwas" gewesen war, das die Grenzen des Vater-Tochter-Verhältnisses weit überschritten hatte. Die Sprache der Seele äußerte sich nicht nur im Traum, sondern auch während der Therapiestunden in Symbolen wie „Schleier", „Plexiglaswand", „Nebel", einzelnen Möbelstücken und anderem mehr. Diese Bilder waren mit Gefühlen verbunden, welche wiederum bruchstückartig neue Bilder hervor riefen, und diese Bilder weckten wiederum neue Gefühle - eine Spirale des Erinnerns.

Die Auswirkungen dieses Prozesses des Wiedererinnerns waren oft heftig. So kam es vor, dass Helga sich bei ihrem Tagesgeschäft gut, lebendig und im Fluss fühlte, doch setzte plötzlich wie aus heiterem Himmel Beklemmung in ihrem Brustkorb ein, und es war, als würde die Frau von einem unsichtbaren Netz eingefangen werden, das sie nach hinten zog. Ihre Nackenmuskulatur spannte sich an, ebenfalls ihr Kiefer, ihr Rücken, ihre Kopfhaut. Sie wurde müde, konfus, „konnte nicht mehr weiter" und musste sich hinlegen. Dies konnte im Anschluss an eine Therapiestunde mehrmals am Tag eintreten.

Oder es geschah, dass verschiedene Körpersymptome tagsüber, gleich, womit Helga gerade beschäftigt war, in einer festgesetzten Reihenfolge abliefen: plötzlich setzte Herzklopfen ein, wie von nackter Angst, und die Frau biss ihre Finger, ihre Gesäßmuskulatur zog sich zusammen, Kopfschmerzen setzten ein, im Magen verspürte sie Übelkeit und Brechreiz, hatte das Gefühl, schwer krank zu sein und verrückt zu werden. Solch ein „Anfall" ging innerhalb einer Minute ab.

Es handelte sich hierbei um den Ablauf von Gefühlen und Körperreaktionen, die durch eine Missbrauchssituation ausgelöst und gleichzeitig in ihrem Energiefluss blockiert worden waren.

Die Frau wurde gewahr, vieles aus ihrer Kindheit nicht mehr zu wissen: sie konnte sich nicht daran erinnern, wie sie die Ferien verbracht hatte und wusste nicht mehr, wie das eine oder andere Zimmer der drei Wohnungen, die ihre Eltern mit ihr bewohnt hatten, eingerichtet gewesen war. Sie hatte keine Erinnerung an ihre Spielgefährten im Kindergarten. Auch den Tag ihrer Einschulung hatte sie vergessen, und sie wusste nicht mehr, wie die Schule, in der sie vier Jahre ein und aus gegangen war, von innen ausgesehen hatte.

Ihrer Erinnerung waren ganze „Zeitblöcke" aus ihrem Leben, bis sie etwa acht Jahre alt war, verloren gegangen. Es kam ihr vor, als hätte sie nur mit zehn Prozent ihrer Bewusstheit und ihres Erinnerungsvermögens gelebt, und der Rest wäre von etwas anderem in Anspruch genommen gewesen.

Vergessen zu haben, ist eines. Was Helga aber ebenso verwunderte, war die Tatsache, dass sie ihren Kindern nie von ihrer eigenen Kindheit erzählen konnte, ohne sich zu fragen, warum ein großer Teil ihrer Erinnerung verloren gegangen war! Im Gegenteil hatte sie sich eingeredet, eine glückliche Kindheit erlebt und sie deshalb vergessen zu haben!

Mit den Monaten, mit den Jahren verschwanden unbewusste Verhaltensweisen, die der Frau zu Eigen gewesen waren: so hatte Helga es nie ertragen können, in einer dichten Menschenmenge zu gehen. Beim Aussteigen aus der U-Bahn war sie stets zur Seite gegangen und hatte die anderen vorbeigehen lassen. Auch während ihres Waldlaufs hatte sie sich immer wieder umdrehen müssen, um zu prüfen, ob jemand sie verfolgte. Dieses Verhalten verschwand ebenso wie viele andere unbewusste Zwänge.

Eine wichtige Wirkung der therapeutischen Kunst bestand in der Zeugenschaft des Therapeuten: indem Helga vor ihm zeigen durfte und konnte, was sie damals vor ihren Peinigern und anderen geheim gehalten hatte, widerfuhr ihren Gefühlen eine Anerkennung, und es wurde ihnen ihre Sinnhaftigkeit zugesprochen. Denn natürlich macht es Sinn, dass sich ein kleines Mädchen verzweifelt und voller Todessehnsucht spürt, wenn es missbraucht wird.

Ein wesentliches Schlüsselsymptom der Therapie war neben der freien Assoziation die Repräsentanz.

Dabei handelt es sich um eine Vorgehensweise, bei welcher die inneren Bilder eines Ereignisses oder eines Menschen von der Patientin oder dem Patienten auf Gegenstände wie zum Beispiel Kissen oder Steine oder Bilder oder auch auf den Therapeuten übertragen werden. Dies löst im Patienten Gefühle aus, durch welche er mit dem betreffenden symbolisch repräsentierten Ereignis oder Menschen noch unbewusst verbunden ist. Durch die therapeutische Arbeit können diese Gefühle sich wandeln und die unbewusste Bindung kann gelöst werden.

Meine Therapie, Mama, war das erste und einzige, das ich - ohne es zu wissen - nur für mich tat, nicht mehr für dich! Bedenke, Mama, dass durch meinen kindlichen Vorsatz, dir zur Freude zu leben, von allem, was ich tat, dachte, fühlte, unbemerkt ein ständiger energetischer Abfluss zu dir hin erfolgte.

Indem du mich über meinen Vater getäuscht hast, hieltest du mich in einer lebenslänglichen Abhängigkeit von dir. Und diese Abhängigkeit spürte ich als ein Liebesgefühl, und nicht als das, was es war: eine Ausbeutung meiner seelischen Kraft und meiner Liebe!

Meine äußere Wirklichkeit spiegelte diese Abhängigkeit von dir auf eine magische Art: Es gelang mir nie, Geld anzusparen, denn sobald ich meine Ersparnisse überlegt, umsichtig und gewissenhaft anlegte, verlor ich mein Geld auf unerklärliche Weise, als hätte eine unsichtbare Macht Zugriff auf meine Vorräte und verhinderte einen mir rechtmäßig zustehenden Wohlstand.

Mein Liebesprogramm für dich, Mama, war wie ein Gift in meinem Körper. Jede Zelle war davon durchtränkt, und es floss fein verzweigt zusammen mit meinem Lebenssaft in mein Füh-

len, Denken und Handeln.

Mit der Zeit gewann Helga durch ihre veränderte, wirklichkeitsgetreuere Sicht von sich selbst Klarheit über die Ursachen ihres Fühlens und Denkens. Ihr fiel auf, dass gewisse Worte und Redewendungen nicht in ihrem Wortschatz vorhanden gewesen waren. So hatte sie nie das Wort: „verwirrt" benutzt, weder auf jemand anderen bezogen, noch auf sich selbst, obwohl - genauer: weil - sie sich ständig im Zustand tiefster Verwirrung befunden hatte! „Verwirrt" hatte sie mit „geisteskrank" gleich gesetzt. Das war die ausschließliche Bedeutung, die dieses Wort für sie hatte.

Auch „verstört" war ein Wort, welches sie niemals anwandte. Umgangssprachliche Redewendungen, welche spontane Gefühle zum Ausdruck bringen, musste sie sich einprägen wie Vokabeln einer Fremdsprache. Sie kannte nicht, was es hieß, aus dem Bauch heraus zu entscheiden. Weder verstand sie die Bedeutung davon, einen dicken Hals zu bekommen, noch auch wusste sie, was mit der Laus, die über die Leber läuft, gemeint war.

Die umgangssprachliche Ausdrucksweise hatte ihr nicht intuitiv zur Verfügung gestanden, im Gegenteil hatte sie für Helga die Gefahr geborgen, sich bloß zu stellen.

Jeder geglückte Heilschritt führte dazu, einen weiteren Bereich von Helgas Seele, ihres Körpers und ihres Bewusstseins, wie klein er auch sein mochte, wieder ihrer Lebensgegenwart zuzuführen, ein Band aus ihrer emotional versprengten Vergangenheit in ihre Aktualität zu knüpfen, ein Band, das sich wie ein roter Faden, so hoffte die Frau, eines Tages in ihrer Zukunft abzeichnen würde.

Ihr Heilweg war auch mit Irrtümern behaftet, dann, wenn die Erinnerung in ihrer Bruchstückhaftigkeit vorläufig nur Stückwerk war. Dies zeigte sich manchmal erst Jahre später, wenn eine neue, erweiterte Erinnerung einsetzte. In diesem Sinn war Helga zunächst im Irrtum darüber, wer ihr erster Missetäter war. Sie hielt ihn für den Arzt. Erst im sechsten Therapiejahr wurde deutlich, dass ihr Stiefvater der erste Mann gewesen war, der sie missbraucht hatte. Helgas tief verwurzelte unbewusste Scham hatte die Wahrheit so lange verdunkelt und dadurch den Täter geschützt:

Mein Schamgefühl, Mama, war in Wirklichkeit die Scham des Täters, die sie übernommen hatte. Denn der Täter hat durchaus Schuldgefühle und sieht sich durchaus als „böse", aber er spaltet diese Gefühle von seiner sexuellen Erregung ab. Dennoch sind die Gefühle als Energie im Kontakt zwischen Täter und Opfer vorhanden und lassen sich durch die Abspaltung nicht auslöschen. Die vom Täter abgespaltene Energie mit den Gefühlsinformationen aus seiner Tat sucht sich nun ein Objekt, an welches es sich heftet: das Opfer, welches sich nun an Stelle des Täters böse und schuldig fühlt.

Mama, es war schrecklich! Hör mir weiter zu!

Wie sehr sie in der Scham und der Schuld des Täters gefangen war, ohne dies erkennen zu können, hatte Helga immer wieder erleben müssen, wenn sie als Erwachsene von Missbrauchsschicksalen oder Vergewaltigungen las oder in Gesprächen damit in Berührung kam. Denn sie hatte mit Missbrauchsopfern keinerlei Empathie empfinden können und zuweilen sogar gedacht, vergewaltigte Frauen sollten sich nicht so „anstellen". Wenn andere ihr Entsetzen über Kindesmissbrauch und Vergewaltigung äußerten, war Helga stumm geblieben. Sie hörte weg und schämte sich und fühlte sich schuldig, weil sie weghörte und sich schämte. Sie kam sich brutal, sogar pervers vor, weil sie keine Empathie für die Opfer empfinden konnte.

Ihrer Gefühllosigkeit war sich die Frau bewusst gewesen. Sie hatte sich deswegen hilflos gefühlt, weil sie nicht erkennen konnte, dass es die Gefühle des Täters, seine „Gefühl-losigkeit" und Brutalität waren, welche sie übernommen hatte.

Da sie vergessen hatte, dass sie selber ein Kindesmissbrauchsopfer war, hatte sie sich von dem schrecklichen Geschehen abgetrennt. Eine Folge davon war, dass sie im Irrtum über ihre Identität lebte. Denn eine von vielen Folgen davon, Opfer zu sein ohne darum zu wissen, kann dazu führen, kein authentisches Mitgefühl mit anderen Opfern spüren zu können.

Zu Beginn des vierten Therapiejahres war die Frau zuversichtlich, das Ende der Therapie nahen zu sehen, welches sie sich herbei wünschte. Nicht länger mehr wollte sie den größten

Teil ihrer täglichen Aufmerksamkeit und Energie auf ihre Vergangenheit richten, auch wenn sie einsah, dass die Aufarbeitung ihrer seelischen Verletzungen eine notwendige Voraussetzung für die Gestaltung ihrer Zukunft war. Doch war die Therapie mit ihren Auswirkungen sehr zeitintensiv: Helga benötigte wöchentlich dreieinhalb Stunden für Behandlung und Hin- und Rückfahrt bei Dr. Maier. Außerdem forderte der Heilprozess täglich durchschnittlich etwa eineinhalb Stunden Zeit: entweder weil Helga ihr Tagesgeschäft langsamer und unkonzentrierter verrichtete, da aufgrund ihrer Erschöpfung Dinge liegen blieben, oder weil sie Zeit zum Schreiben und Malen oder Anfertigen von Collagen benötigte, um die aufwühlenden Auswirkungen der Therapiestunden zu verarbeiten.

Doch lag mit Beginn des vierten Therapiejahres noch nicht einmal die Hälfte ihres Heilungsweges hinter ihr, und es sollten noch viele weitere Jahre auf diese Weise vergehen.

18. Wie es endet

Eines Abends im Mai machte Helga es sich vor dem Fernseher gemütlich. Nachdem sie sich durch verschiedene Kanäle auf der Suche nach einem ansprechenden Programm geschaltet hatte, wurde sie bei „Arte" fündig. Dort erkannte sie Szenen eines Films wieder, den sie vor vielen Jahren mit einem Freund angeschaut hatte: „Zerrissene Umarmungen". Es fiel ihr auf, dass sie heute die Geschichte aufmerksamer verfolgte. Vielleicht lag es daran, dass der Film sich bereits in der Endphase befand und auf den Höhepunkt zusteuerte.

Schließlich wurde die Szene eingeblendet, in welcher die Heldin ihrem blinden Ex-Liebhaber und ihrem erwachsenen Sohn beim gemeinsamen Abendessen in einem Restaurant gesteht, dass sie Vater und Sohn sind. Sie hatte beide, die einander kannten und schätzten, mehr als zwanzig Jahre lang über deren wahre Beziehung zueinander getäuscht.

Während der etwa dreiminütigen Dauer dieser Eröffnung fühlte sich Helga plötzlich wie im falschen Film. Es brachen ein ungehemmter Hass und große Wut gegenüber dieser fiktiven Frau aus ihr hervor, was sie sich nicht erklären konnte. Sie war empört und wollte den Sender wechseln, fühlte sich aber gleichzeitig wie magisch angezogen von dem Bildschirmgeschehen, so dass sie gebannt weiter schaute. Dies verwirrte sie. Nun fühlte sie Verachtung in sich aufsteigen gegenüber allen Frauen, die wissentlich Partner und Kinder über die Vaterschaft täuschen. Helga erlebte sich unter einem unerträglichen Druck und war sich gleichzeitig bewusst, dass sie nur den Fernseher auszuschalten brauchte, um sich Erleichterung zu verschaffen. Sie konnte sich nicht erklären, warum sie dennoch suchtartig das Geschehen verfolgte.

Da durchzuckte sie plötzlich der Name „Paul Ziehlke", verbunden mit der Erkenntnis, dass die Filmgeschichte etwas mit ihr zu tun hatte: es war ihr eigenes Schicksal, welches sie dort vorgeführt bekam.

Ihr Herz pochte zum Zerbersten, und sofort schob Helga ihrer Einsicht einen Riegel vor. Ihre Mutter konnte doch nicht so „böse" gewesen sein, dachte sie, ihr ihre wahre Herkunft zu verschweigen und sie dadurch in Unwissenheit gefangen zu halten! Offenbar, so redete sie sich ein, schien ihr selbst jetzt, nach sieben Therapiejahren, die Erkenntnis unerträglich, von ihrem Vater missbraucht worden zu sein, so dass ihr Unbewusstes ihr einen anderen, einen besseren Vater vorführte.

Doch mit jedem Einwand meldete sich eine gegenteilige Erinnerung, die den Zweifel wieder zunichte machte. Wie verloren gegangene Puzzleteile fügten sich vergangene Gefühle und Ahnungen zusammen.

Helga konnte der Heftigkeit und Intensität ihrer Erkenntnis kaum standhalten, so dass sie beschloss, bis zur nächsten Therapiestunde nicht mehr daran zu denken und ging zu Bett. Ihr Entschluss war wirksam. Denn als sie am nächsten Morgen im Auto an einer roten Ampel wartete, kam ihr, dass sie am Vortag etwas Bedeutsames erlebt hatte, aber sie konnte sich nicht mehr daran erinnern. Erst nachdem sie den Tag in Gedanken systematisch durchging und beim Abend ankam, fiel ihr der Film wieder ein und die Erkenntnis, die er in ihr ausgelöst hatte.

Die therapeutische Arbeit mit Dr. Maier zwei Tage später bestätigte ihre Wahrnehmung, Paul Ziehlkes Tochter zu sein.

In den darauf folgenden Wochen und Monaten macht Helga sich auf die Suche nach ihrem Vater. Im Internet stößt sie auf Artikel über ihn, in welchen sein künstlerischer Werdegang und seine außergewöhnliche, Respekt einflößende Persönlichkeit beschrieben werden. Er war bekannt für seinen Scharfsinn, oft vermengt mit Ironie, und für seine untrügliche Menschenkenntnis.

Helga bricht nach Magdeburg auf, um die Stadt ihrer Eltern, in der sie vermutlich gezeugt worden ist, kennen zu lernen. Hier hat Paul Ziehlke fünfzig Jahre lang bis zu seinem Tod gelebt.

In den Kofferraum ihres Autos lädt sie eine Auswahl seiner Bilder, um sich, falls nötig, als Tochter einer Frau, welche Paul Ziehlke gekannt hat, legitimieren zu können.

Im Stadtarchiv vor Ort liest Helga den Lebenslauf ihres Vaters, und in Zeitungsausschnitten erfährt sie über Ausstellungen von Bildern, Grafiken und Skulpturen, in denen sein Lebenswerk als frei schaffender Künstler, Kunstkritiker und Lehrer an der Kunstakademie gewürdigt werden. Von Satz zu Satz nimmt der Mann vor Helgas innerem Auge Gestalt an. Mit jeder Information über ihn kommt sie ihm näher, wird er für sie plastischer, greifbarer, präsent. Sie muss bei der Lektüre gegen Tränen und Schluchzen ankämpfen, um sich ihre tiefe Berührtheit nicht anmerken zu lassen.

Glücklich über die Wahrheit ihrer Herkunft einerseits und andererseits voller Schmerz darüber, ihren Vater nicht gekannt zu haben, geht Helga anschließend durch die Stadt am Elbufer entlang zu dem Haus in der Altstadt, in dem ihr Vater gelebt hat. Bei jedem ihrer Schritte stellt sie sich vor, ob zu Zeiten des Deutschen Reiches oder der Nationalsozialisten oder der DDR sein Fuß diesen oder jenen Pflasterstein betreten haben mag, ob es diesen oder jenen Strauch, Baum schon gab, welche Häuser sein Blick streifte. War das Gehen für ihn im Alter beschwerlich? Wie mag es für den Vater gewesen sein, die Entstehung der DDR mit zu erleben?

Vor dem Haus, in dem er gelebt hat, bleibt sie wehmütig stehen. Sie schaut durch die Fenster und stellt sich vor, wie er gelebt, in welchem Raum er gemalt hat. Dann geht sie schweren Herzens darüber, so viele Jahre von der Vergangenheit getrennt zu sein, weiter, um ein paar Sehenswürdigkeiten der Stadt anzuschauen: Häuser, Kirchen, historische Ruinen, Türme, Landschaften entlang der Elbe, von denen sie Bilder und Skizzen ihres Vaters besitzt. In welcher Stimmung er dieses Bild gemalt haben mag, oder jenes, ob ihre Mutter ihm dabei über die Schultern geblickt hat oder ob er wohl beim Malen an sie dachte…? Sie ist vom Wiederaufbau der bedeutsamen historischen ehemaligen Kaiserstadt tief beeindruckt, deren Geschichte deutliche Spuren im künstlerischen Wirken ihres Vaters hinterlassen hat.

Schließlich besucht Helga den Friedhof. Die Frau hat ein Gefühl wie von nach Hause kommen, als sie die alte Anlage betritt, und sie staunt.

Dann schlägt sie ein paar Wege ein, dabei jeden Grabstein musternd, in der Hoffnung, zufällig auf die letzte Ruhestätte ihres Vaters zu treffen.

Sie fühlt sich während dieses Spaziergangs auf den damaligen Wegen, die ihr Vater vermutlich mit ihrer Mutter entlang gegangen ist, wie im Schutz ihres Vaters. Die Gräber zu ihrer Rechten und zu ihrer Linken teilt sie unter dem Gesichtspunkt ein, welche von ihnen bei den gemeinsamen Spaziergängen ihrer Eltern bereits die Wege gesäumt haben könnten und welche jünger sind. Der Besuch des Stadtmuseums ist ein weiteres Kennenlernen ihres Vaters, wo sie auf Spuren trifft, die an den ehemaligen Lehrer und Künstler erinnern.

Die Erkenntnis, wessen Kind sie ist, löst eine feine fast unmerkliche Veränderung in Helgas Leben aus. Sie macht es sich zur Gewohnheit, die damalige Welt mit den Augen ihres Vaters zu sehen, vor allem bei der Lektüre zeitgenössischer Schriftsteller und Wissenschaftler. Sie stellt sich vor, wie er die Erfindung von Telefon und Auto erlebt hat und was er im ersten Weltkrieg erlebt haben mag. Sie versucht, Verbindungen damaliger Künstler zu ihrem Vater zu erkennen. Kannte er Kandinsky, Münter, Marc? Warum entwickelte er seinen impressionistischen Malstil nicht weiter? Wenn sie an der Elbe entlang spaziert, erstehen Bilder vor ihr, wie ihr Vater mit seiner Frau und seinen vier Kindern nach der Jahrhundertwende hier gelebt haben mag.

Wieder zu Hause, erwirbt sie antiquarisch ein Buch aus 1923, in welchem Paul Ziehlke sich mit den damaligen Kunstströmungen auseinandersetzt. Die Frau liest das Buch ihres Vaters langsam, vier Wochen lang, manche Sätze liest sie laut und lässt die Worte wie Tautropfen auf ihrer Zunge zergehen. Hin und wieder finden sich Hinweise auf Privates aus dem Familienalltag.

Kurze Zeit später findet Helga beim Aufräumen fast dreißig Briefe ihres Vaters an ihre Mutter. Außer sich vor Freude und Staunen kann sie den Wert ihres Fundes kaum fassen. Wie sehr sie auch nachdenkt und in ihren Erinnerungen gräbt, - sie kann sich nicht daran erinnern, diese Briefe je gesehen zu haben oder gar zu besitzen!

Die Füllfederschrift ihres Vaters ist fein und gleichmäßig und schwer zu entziffern, so dass Helga vergrößerte Fotokopien macht, um sie bei Gelegenheit entschlüsseln zu lassen.

Helga wird nicht müde, auf Fotos und Abbildungen ihr Gesicht mit dem ihres Vaters zu vergleichen und glaubt eine gewisse Ähnlichkeit zwischen seiner und ihrer Augenpartie zu erkennen. Wie schön wäre es, auch eine naturwissenschaftlich nachweisbare Gewissheit ihrer Herkunft zu haben! In einem Speziallabor erhält sie die Auskunft, dass eine Speichelprobe von ihr und Enkeln ihres Vaters ein Ergebnis mit einer Trefferquote von günstigstenfalls 30% Zuverlässigkeit ergeben würde. Schade, denkt Helga, das ist nicht überzeugend, und sie verwirft ihr Ansinnen wieder.

Schließlich nimmt Helga Kontakt zu einem der Enkel auf, den sie durch Recherchen ausfindig gemacht hat. Dabei gibt sie sich wahrheitsgemäß als die Tochter einer Frau aus, die sein Großvater gekannt und der er viele Bilder geschenkt hat.

Sie erhält einen entgegenkommenden freundlichen Brief zurück. Der Mädchenname ihrer Mutter ist dem Enkel bekannt. Es folgen ein längeres Telefonat, der Austausch von Mails und schließlich ein Treffen zwischen ihr und diesem Mann am 50. Todestag von Paul Ziehlke. Als Helga den Unbekannten auf der anderen Straßenseite gegenüber des Bahnhofs entdeckt, überkommt sie das Gefühl, von Ferne einen langjährigen, verloren gegangenen Bekannten wieder zu sehen. Dann, als sie sich begegnen, ist ihr, als würde sie in ihre eigenen Augen blicken. Energie strömt zwischen ihr und dem Fremden hin und her, der sie überrascht, mit einem offenen Lächeln und großen wachen Augen anblickt. Er ist gleich groß wie sie, wirkt vital, einfühlsam und entschlossen. Dann fährt er mit ihr in seinem Auto zum Friedhof, wo jeder von beiden einen kleinen Blumenstrauß auf Paul Ziehlkes Grab legt. Anschließend lädt der Mann, ein pensionierter Oberarzt, Helga in sein geschmackvoll eingerichtetes Haus ein, um mehrere Stunden lang bei Kaffee und Kuchen von seinem Großvater zu erzählen und Helga Familienfotos zu zeigen, während seine Frau bei der erkrankten Tochter die Enkel hütet. Bereitwillig antwortet der Mann auf Helgas Fragen, so dass diese von Paul Ziehlke und seinem Leben ein Bild gewinnt.

Helga kommt aus dem Staunen nicht heraus und ist beeindruckt. In manchen Momenten ist sie versucht, sich als Paul Ziehlkes Tochter zu erkennen zu geben, fühlt sie sich doch überwältigt durch die Gefühle von Vertrautheit und Zugehörigkeit, von großer Freude und Dankbarkeit, welche durch die Unterhaltung mit dem ihr fremden Mann ausgelöst werden. Doch hält sie sich zurück. Es wäre für sie zu viel der Nähe an diesem Tag.

Als ihr Blick auf die Bronzestatue einer Gruppe: „Mutter und Kind" fällt, fragt Helga, ob Paul Ziehlke auch Bildhauer gewesen sei.

Aber gewiss, er hat alle möglichen Materialien im Kunsthandwerk erprobt, ist die Antwort.

Helga zeigt dem Mann Schmuck, den sie mitgebracht hat - mehrere Armbänder und Ringe, nach Kunstgewerbeart in Silber geschmiedet, mit eingelassenen Halbedelsteinen, sowie eine Kette und ein Armband aus roten Wachsperlen mit eingestanztem Relief, des weiteren zwei Kettenanhänger, der eine aus Holz, der andere, den sie um den Hals trägt, aus Bronze, graviert mit germanischen Symbolen. Diese Schmuckstücke hat ihre Mutter sehr gerne getragen. Könnten sie von Paul Ziehlke gefertigt sein?

Ja, das ist durchaus möglich.

Diese Zustimmung löst eine befreiende Gewissheit in Helga aus. Hatte sie es nicht geahnt? Hatte sie nicht als Kind gespürt, wie gerne die Mutter diesen Schmuck trug, der eine unerklärliche Anziehungskraft auf Helga ausübte?

Das Wissen um ihren Vater und damit um ihre Herkunft ist der Beginn eines Befreiungsprozess in Helga, der sich über Monate hinzieht. Sie hat das Gefühl, von tief innen heraus vollständig zu werden. Jetzt weiß sie, warum ihr das Gefühl fehlte, einen Platz auf dieser Welt zu haben. Jetzt kann sie ihre grundlegenden Gefühle zuordnen, ihren Ursprung erkennen. Erst jetzt kommt sie in der Welt an.

Oft denkt sie über das Schicksal des falschen Vaters nach. Mehr als zwanzig Prozent aller Geburten, so erfährt Helga, sollen Kuckuckskinder sein.

Welche Folgen daraus entstehen! Falsche Identitäten, fehlerhafte Statistiken, Irrtümer über die Gründe von Über, Urteilen und Weltanschauungen! Vor allem aber das Gefühl einer tiefen, unüberwindlichen Kluft zwischen der intuitiven Wahrnehmung eines solchen Kindes einerseits und seiner Bewusstheit andererseits.

Ich verzeihe dir nicht, Mama. Denn Verzeihung kann mir keine Heilung bringen.

Ich sehe es so: verzeihen ist nur zwischen Ebenbürtigen möglich, wenn die Freiheit zur Vergeltung des Unrechts besteht und wenn der Geschädigte auf diese Möglichkeit zugunsten der Vergebung verzichtet, falls der Schuldner um Vergebung bittet.

Ich aber bin dir nicht ebenbürtig, Mama, denn ich bin dein Kind! Dein Kind, welches ein natürliches Recht darauf hat, von dir gesehen und geschützt zu werden. Doch du hast mir dieses Recht verweigert, denn du hast mich nicht gesehen.

Einzig mein gerechter Zorn auf dich ermöglicht es mir jetzt, vor dir wieder zu deinem Kind zu werden. Denn dies, Mama, ist wichtig für mich: vor dir der natürlichen Ordnung entsprechend - auch als Erwachsene - „die Kleine" zu sein.

Mit meinem Zorn werfe ich dir deinen Anspruch an mich zurück, für dein Glück verantwortlich zu sein.

Ohne meinen Zorn hätte ich dich und meine Missetäter in einer Art „Größen-Wahn" weiterhin geschützt, - vor wem eigentlich? -, ahnungslos und unbewusst, als wäre ich diejenige, welche Schlimmes zu verbergen und es ganz alleine zu ertragen hätte, noch dazu aus Liebe zu dir!

Ich bin am Ende, Mama, am Ende meiner Geschichte.
War es meine Geschichte?
War es deine Geschichte?
War es nicht vielmehr unser beider gemeinsame Geschichte, die uns schicksalhaft unglücklich aneinander gebunden hielt,

solange nie ans Licht kommen durfte, was in ihr verborgen lag?

Da du von meiner Wahrheit keine Notiz genommen hast, Mama, war meine Geschichte in deiner Geschichte einge-schlossen, und ich war gefangen, ein Teil deines Lebens.

Es scheint so zu sein, dass du dir über mein Schicksal be-wusst sein musst, damit meine Geschichte sich aus deiner Ge-schichte löst und ganz zu mir zurück kehrt, um zum guten fruchtbaren Boden für mein weiteres Leben zu werden.

Es scheint so zu sein, dass du von meiner vergeblichen Kin-desliebe Kenntnis haben musst, damit meine Liebe aus ihrer Verzauberung befreit wird und in meinem jetzigen Leben flie-ßen kann, ohne mir weiterhin das Gefühl zu vermitteln, klein zu sein und eine unerträgliche Anstrengung zu meistern.

Dies alles, Mama, wollte dir nachgerufen werden.

Hat es dich erreicht?

Wenn ich die Augen schließe, Mama, sehe ich dich in einer hellen Sonne als einen winzigen Punkt in unendlichem Licht, mir zugewandt in Liebe.

9 783738 611557